THE TURKISH TRAVELMATE

compiled by

LEXUS

with

Şavkar Altınel

RICHARD DREW PUBLISHING
Glasgow

RICHARD DREW PUBLISHING LTD.
6 CLAIRMONT GARDENS
GLASGOW G3 7LW
SCOTLAND

Reprinted 1990

ISBN 0 86267 243 0

Printed and bound in Great Britain by
Cox & Wyman Ltd.

YOUR TRAVELMATE
gives you one single easy-to-use list of words and phrases to help you communicate in Turkish.

Built into this list are:
- Travel Tips with facts and figures which provide valuable information
- Turkish words you'll see on signs and notices
- typical replies to some of the things you might want to say.

There is a menu reader on pages 70-72, the Turkish alphabet is given on page 127 and numbers on page 128.

Your TRAVELMATE also tells you how to pronounce Turkish. Just read the pronunciations as though they were English and you will communicate — although you might not sound like a native speaker.

Some notes on pronunciation

a is pronounced as in 'father'

e is pronounced as in 'bed' — so, for example, Turkish 'yer' is not pronounced to rhyme with English 'her'

ew is like the sound in 'few' (if you know French, it's u)

H as in Scottish pronunciation of 'loch'

i is as in 'Maria' or 'pier'

I should be pronounced as the English word 'I'

J is like the 's' sound in 'leisure'

uh is like the 'e' sound in 'often' but more clipped

Note that the letter ğ has nothing to do with g — it has the function of lengthening the vowel which precedes it.

If no pronunciation is given then the word itself can be pronounced as though it were English. And sometimes only part of a word or phrase needs a pronunciation guide. Vowels given in italics show which part of a word to stress.

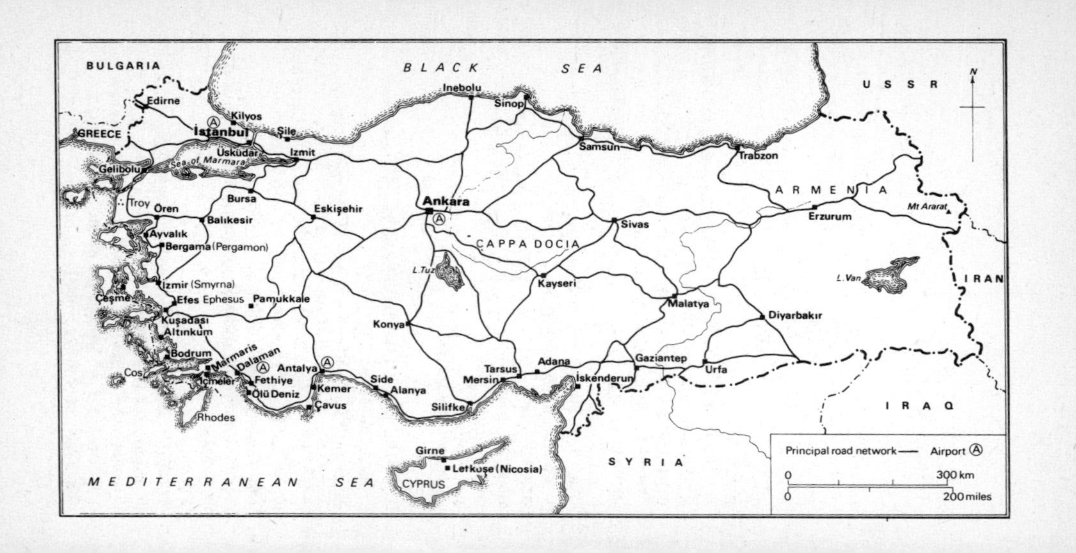
BULGARIA
BLACK SEA
USSR
N
GREECE
Edirne
Kilyos
İstanbul
Şile
Üsküdar
Izmit
Sea of Marmara
Gelibolu
Troy
Ören
Bursa
Balıkesir
Eskişehir
Ayvalık
Bergama (Pergamon)
İzmir (Smyrna)
Çeşme
Efes Ephesus
Pamukkale
Kuşadası
Altınkum
Bodrum
Marmaris
Dalaman
Cos
İçmeler
Fethiye
Ölü Deniz
Rhodes
Antalya
Kemer
Çavus
Side
Alanya
Konya
L. Tuz
Ankara
Inebolu
Sinop
Samsun
Trabzon
CAPPADOCIA
Kayseri
Sivas
Malatya
Erzurum
ARMENIA
Mt Ararat
L. Van
IRAN
Diyarbakır
Urfa
Gaziantep
Adana
Tarsus
Mersin
Silifke
İskenderun
IRAQ
SYRIA
Girne
Letkuşe (Nicosia)
CYPRUS
MEDITERRANEAN SEA
Principal road network
Airport
0
300 km
0
200 miles

a, an bir
500 lira a kilo kilosu 500 lira [—*soo* 500 l*ee*ra]
abdomen karın [kar*uh*n]
aboard: aboard the ship/plane gemide/ uçakta [gemeed*eh*/oochakt*a*]
about: is he about? buralarda mı? [b*oo*ralarda muh]
about 15 15 civarında [jeevaruhnd*a*]
about 2 o'clock saat 2 civarında [saht . . .]
above üstünde [ewstewnd*eh*]
abroad yurt dışında [yoort duh-shuhnd*a*]
absolutely! kesinlikle! [keseenl*ee*kleh]
accelerator gaz pedalı [. . . pedal*uh*]
accept kabul etmek [kab*oo*l . . .]
accident kaz*a*
there's been an accident bir kaza oldu [. . . old*oo*]
accommodation kalacak yer [kalaj*a*k . . .]
we need accommodation for three bize üç kişi için kalacak yer lazım [beez*eh* ewch keesh*ee* eech*ee*n . . . lahz*uh*m]
accurate doğru [dohr*oo*]
ache: my back aches sırtım ağrıyor [suhrt*uh*m a-r*uh*yor]
açık *open*
açılış saatleri *opening times; collection times*
across karşı [kars*uh*]
how do we get across? karşıya nasıl geçebiliriz? [—*ya* n*a*suhl gechebeeleer*ee*z]
adaptor adaptör [—t*ur*]

address adr*e*s
  will you give me your address? adresinizi rica edebilir miyim? [—*zee* reej*a* edebeel*ee*r meey*ee*m]
adjust ayarlam*a*k
admission giriş [geer*ee*sh]
advance: can we book in advance? önceden yer ayırtabilir miyiz? [urnjed*e*n yehr a-yuhrtabeel*ee*r meey*ee*z]
advert rekl*a*m
Aegean Ege [*e*geh]
afraid: I'm afraid I don't know korkarım bilmiyorum [kork*a*ruhm b*ee*lmeeyoroom]
  I'm afraid so korkarım öyle [. . . *ur*leh]
  I'm afraid not korkarım hayır [. . . h*a*-yuhr]
after s*o*nra
  after 2 o'clock saat 2'den sonra [saht . . .]
  after you siz önden [. . . urnd*e*n]
afternoon öğleden sonra [urled*e*n s*o*nra]
  in the afternoon öğleden sonra
  good afternoon iyi günler [eey*ee* ge*w*nler]
  this afternoon bugün öğleden sonra [booge*w*n . . .]
aftershave tıraş losyonu [tuhr*a*sh losyon*oo*]
again t*e*krar
against karşı [karsh*uh*]
age yaş [yash]
  under age yaşı küçük [ya-sh*uh* kewche*w*k]
  it takes ages saatlerce sürüyor [s*ah*tlerjeh sewre*w*yor]
ago: a week ago bir haft*a* önce [. . . *ur*njeh]
  it wasn't long ago çok olmadı [chok *o*lmaduh]
  how long ago was that? bu ne zamandı? [boo neh zamand*uh*]
agree: I agree olur [ol*oo*r]
  garlic doesn't agree with me sarımsak bana dokunuyor [saruhms*a*k ban*a* dokoonooyor]
aileye mahsus *only for family groups*

air hav*a*
by air uçakla [ooch*a*kla]
with air-conditioning havalandırma tertibatlı [—duhrm*a* terteebatl*uh*]
airport havalimanı [—leeman*uh*]
alarm al*a*rm
alarm clock çalar saat [chal*a*r saht]
alcohol alk*o*l
is it alcoholic? alkollü mü? [—l*ew* mew]
alive: is he still alive? h*a*la hayatta mı? [. . . ha-yatt*a* muh]
all h*e*psi
all these people bu insaların hepsi [boo eensanlar*uh*n . . .]
that's all hepsi bu kad*a*r
that's all wrong bu tamamen yanlış [. . . yanl*uh*sh]
all right p*e*ki
thank you – not at all teşekkür ederim – bir şey değil [teshekk*ew*r edereem – beer shay deh-*ee*l]
allergic: I'm allergic to penicillin penisiline alerjim var [—n*eh* a-lerjeem . . .]
allowed: is it allowed? serb*e*st mi?
that's not allowed o yas*a*k
allow me iz*i*n ver*i*n
almost neredeyse [n*e*redayseh]
alone yalnız [y*a*lnuhz]
did you come here alone? buraya yalnız mı geldiniz? [b*oo*ra-ya . . . muh geldeen*ee*z]
leave me alone ben*i* rahat bırak [. . . rah*a*t buhr*a*k]
already şimdiden [sh*ee*mdeeden]
also de/da
alternator alternatör [—t*ur*]
although karşın [karsh*uh*n]
altogether: what does that make altogether? heps*i* ne kadar tutuyor [. . . neh kad*a*r toot*oo*yor]

always hep
ambassador elçi [elch*ee*]
ambulance cankurtaran [jankoortar*a*n]
get an ambulance! bir cankurtaran çağırın [. . . cha-*uh*ruhn]
» *TRAVEL TIP: dial 077 or check to see if there is a local number*
America Amer*i*ka
American *(man, woman)* Amerikaı [—l*uh*] *(adjective)* Amerik*a*n
among arasında [arasuhnd*a*]
amp: 13 amp fuse 13 amperl*i*k sig*o*rta [on ewch . . .]
ana yol ilerde *main road ahead*
anchor çapa [chap*a*]
and ve
angry kızgın [kuhzg*uh*n]
I'm very angry about it bu konuda çok kızgınım [boo konood*a* chok —*uh*nuhm]
please don't get angry lütfen kızmayın [l*ew*tfen k*uh*zma-yuhn]
animal hayvan [hı-v*a*n]
ankle ayak bileği [a-y*a*k beeleh-*ee*]
anniversary: it's our anniversary bugün evlilik yıldönümümüz [booge*w*n . . . yuhldur-newmewm*ew*z]
annoy: he's annoying me beni rahatsız ediyor [ben*ee* rahats*uh*z edeeyor]
it's very annoying bu çok can sıkıcı [boo chok jan suhkuhj*uh*]
another: can we have another room? bize başka bir oda verebilir misiniz? [beez*eh* bashk*a* beer od*a* verebeel*ee*r meeseen*ee*z]
another beer, please bir bir*a* daha, lütfen [. . . dah*a* l*ew*tfen]
answer: what was his answer? ne cevap verdi? [neh jehv*a*p verd*ee*]
there was no answer cevap yoktu [. . . yoktoo]

antique antik*a*
» *TRAVEL TIP: see Customs*
any: have you got any bananas/butter? hiç muz/tereyağı var mı? [heech mooz/ter*eh*ya-uh . . . muh]
I haven't got any hiç yok
anybody herh*a*ngi bir kimse [. . . keems*eh*]
can anybody help? birisi yardım edebilir mi? [beereese*e* yard*uh*m edebeel*ee*r mee]
anything herh*a*ngi bir şey [shay]
I don't want anything hiç bir şey istemiyorum [heech beer shay eest*e*meeyoroom]
aperitif aperet*i*f
apology: please accept my apologies özür dilerim [urz*ew*r deeler*ee*m]
I want an apology özür dilemenizi istiyorum [. . .—*zee* eesteeyor*oo*m]
appendicitis apandis*i*t
appetite iştah [eest*a*H]
I've lost my appetite iştahım kaçtı [—*uh*m kacht*uh*]
apple elm*a*
application form başvuru formu [b*a*shvooroo form*oo*]
appointment: can I make an appointment? randevu almak istiyorum [randev*oo* alm*a*k eesteeyor*oo*m]
apricot kayısı [ka-yuhs*uh*]
April Nis*a*n
aqualung balıkadam hava tüpü [bal*uh*kadam hav*a* tewp*ew*]
araba vapuru *car ferry*
archaeology arkeoloji [—J*ee*]
area *(neighbourhood)* semt
(space) al*a*n
in the area bu civarda [boo jeevard*a*]
arkadan inilir *exit at the back*
arm kol
around *see* **about**

arrange: will you arrange it? bunu siz ayarlar mısınız? [boon*oo* seez a-yarl*a*r muhsuhn*uhz*]
it's all arranged her şey ayarlandı [hehr shay —d*uh*]
arrest *(verb)* tutuklamak [tootooklam*a*k]
he's been arrested tutuklandı [—d*uh*]
arrival varış [var*uh*sh]
arrive varm*a*k
we only arrived yesterday dah*a* dün geldik [. . . dewn geld*ee*k]
art san*a*t
art gallery san*a*t galeris*i*
arthritis mafs*a*l iltihabı [—b*uh*]
artificial yapm*a*
artist sanatçı [—ch*uh*]
as: as quickly as you can mümkün olduğu kad*a*r çabuk [mewmk*ew*n oldoo-*oo* . . . chab*oo*k]
as much as you can mümkün olduğu kadar çok [. . . chok]
do as I do benim yaptığımı yapın [ben*ee*m yaptuh-uhm*uh* y*a*puhn]
as you like nasıl isterseniz [n*a*suhl eest*e*rseneez]
asansör *lift*
ashore karad*a*
ashtray t*a*bla
ask sorm*a*k
could you ask him to . . .? ond*a*n . . .—isin*i* isteyebilir misiniz? [. . . eesteh-yebeel*ee*r meeseen*ee*z]
that's not what I asked for ben bunu istemedim [. . . boon*oo* eest*e*medeem]
asleep: he's still asleep hala uyuyor [h*a*la ooyo*o*yor]
asparagus kuşkonmaz [kooshkonm*a*z]
aspirin aspir*i*n
assistant *(helper)* yardımcı [yarduhmj*uh*]
(in shop) satıcı [satuhj*uh*]
asthma astım [ast*uh*m]

at: at the café kahvede [—d*eh*]
at my hotel otelimde [oteleemd*eh*]
at one o'clock saat bird*e* [saht . . .]
atmosphere atmosf*e*r
attitude tutum [toot*oo*m]
attractive güzel [gewz*e*l]
I think you're very attractive sizi çok güzel buluyorum [seez*ee* chok . . . boolooyor*oo*m]
aubergine patlıcan [patluhj*a*n]
August Ağustos [a-oost*o*s]
aunt *(maternal)* teyze [tayz*eh*]
(paternal) hal*a*
Australia Avusturalya [avoostr*a*lya]
Australian *(man, woman)* Avustralyalı [—l*uh*]
(adjective) Avustr*a*lya
authorities resm*i* makaml*a*r
automatic *(car)* otomat*i*k vitesl*i*
autumn: in the autumn s*o*nbaharda
away: is it far away from here? buradan uzakta mı? [b*oo*radan oozakt*a* muh]
go away! git!
awful berb*a*t
axle aks
azami sürat *maximum speed*
baby beb*e*k
we'd like a baby-sitter bize bir baby-sitter bulabilir misiniz? [beez*e*h . . . boolahbeel*ee*r meeseen*ee*z]
» *TRAVEL TIP: don't expect to be able to find a baby-sitter in the provinces but in the big cities ask your hotel receptionist to arrange one for you*
back: I've got a bad back sırtım tutuldu [suhr-t*uh*m tootooldoo]
I'll be back soon birazdan döneceğim [beerazd*ah*n dunehj*e*h-eem]
is he back? döndü mü? [durnd*ew* mew]
come back geri gel
can I have my money back? paramı geri alabilir miyim? [—m*uh* . . . alabeel*ee*r meey*ee*m]

I go back tomorrow yarın dönüyorum [yahr*uh*n dunewy*o*room]
at the back arkad*a*
backgammon t*a*vla
bacon beykın [b*ay*kuhn]
bacon and eggs yumurtalı beykın [yoomoortahl*uh* . . .]
bad kötü [kurt*ew*]
it's not bad bu fena değil [boo fen*a* deh-*ee*l]
too bad! vah vah!
bag çanta [chant*a*]
(suitcase) bavul [bav*oo*l]
bagaj alma yeri *baggage claim*
baggage bagaj [bag*a*J]
baker's fırın [fuhr*uh*n]
balcony balk*o*n
a room with a balcony balkonlu bir od*a* [—l*oo* . . .]
balkon *circle (cinema)*
ball top
ball-point pen tükenmez kal*e*m [tewkenm*e*z . . .]
banana muz [mooz]
band ork*e*stra
bandage sargı [sarg*uh*]
could you change the bandage? sargıyı değiştirir misiniz? [—guhy*uh* deh-eesh-teer*ee*r meeseen*ee*z]
bank b*a*nka
» *TRAVEL TIP: banks are open from 8.30 a.m. to 12 and from 1.30 to 5 p.m. Monday to Friday*
banket *hard shoulder*
bar bar
when does the bar open? bar ne zaman açılacak? [. . . neh zam*a*n achuhl-aj*ah*k]
barber's berber
bargain: it's a real bargain gerçekten çok ucuz [gerchekten chok oojooz]
(verb) pazarlık etmek [—l*uh*k etm*e*k]
» *TRAVEL TIP: bargain only in the bazaars; start at*

about a third of the asking price, but make an offer only if you really intend to buy
barmaid kadın barmen [kaduhn . . .]
barman barmen
basınız *press*
basket sepet
bath banyo
can I have a bath? banyo yapabilir miyim? [. . .—beeleer meeyeem]
could you give me a bath towel? bana bir banyo havlusu verir misiniz? [. . .—loosoo vereer meeseeneez]
bathing denize girmek [—zeh geermek]
bathing costume mayo [ma-yo]
bathroom banyo
we want a room with a private bathroom banyolu bir oda rica edebilir miyiz? [—loo . . . oda reeja —leer meeyeez]
can I use your bathroom? banyonuzu kullanabilir miyim? [—noozoo koollanabeeleer meeyeem]
batı *west*
battery pil
(in car) akü [akew]
bayanlar *ladies*
baylar *gents*
beach plaj [plaJ]
see you on the beach plajda görüşürüz [—da gurewsh-ewrewz]
beans fasulye [fahsoolyeh]
beautiful güzel [gewzel]
that was a beautiful meal çok güzel bir yemekti [chok . . .]
because çünkü [chewnkew]
because of the weather hava durumu nedeniyle [hava dooroomoo —neeleh]
bed yatak
single bed/double bed tek/iki kişilik yatak [. . . keesheeleek . . .]

you haven't changed my bed yatak çarşaflarımı değiştirmemişsiniz [... charshaflaruhm*uh* deh-eesh-t*ee*rmeh-meesh—]
I want to go to bed yatm*a*k istiyorum [... eest*ee*yoroom]
bed and breakfast pansiyon
bedroom yat*a*k odası [... odas*uh*]
bee arı [a-r*uh*]
beef sığır eti [suh-*uh*r et*i*]
beer bir*a*
two beers, please ik*i* bira, lütfen [... le*w*tfen]
» *TRAVEL TIP: as in most Continental countries, only lager is available in Turkey*
before: before breakfast kahvaltıdan önce [—tuhd*a*n *ur*njeh]
before we leave yola çıkmadan önce [yol*a* ch*uh*k—...]
I haven't been here before buraya dah*a* önce hiç gelmemiştim [boora-ya ... heech g*eh*lmeh-meeshteem]
begin: when does it begin? ne zaman başlıyor? [neh zam*a*n bash-luh-yor]
beginner acemi [ahjehm*ee*]
behind arkad*a*
the car behind me arkad*a*ki arab*a*
bekleme salonu *waiting room*
believe: I don't believe you size inanmıyorum [seez*eh* een*a*nmuhyoroom]
I believe you size inanıyorum
bell *(in hotel)* zil
belong: that belongs to me o ben*i*m
who does this belong to? bunun sahibi kim? [boonoon saheeb*ee* ...]
below altında [altuhnd*a*]
belt kem*e*r
bend *(noun: in road)* viraj [veer*a*J]
berries böğürtlenler [bur-urtlenl*e*r]
berth *(on ship)* kam*a*ra
beside yanında [yanuhnd*a*]

best en iyi [. . . eey*ee*]
it's the best holiday I've ever had bu geçirdiğim en iyi tatil [boo gecheer-d*ee*-eem . . . ta*tee*l]
better dah*a* iyi [. . . eey*ee*]
haven't you got anything better? daha iyi bir şey yok mu? [. . . shay yok moo]
are you feeling better? kendinizi daha iyi hissediyor musunuz? [—*zee* . . .—yor moosoon*oo*z]
I'm feeling a lot better kendimi çok daha iyi hissediyorum [—m*ee* chok . . .—d*ee*yoroom]
between arasında [—suhnd*a*]
beyond ardında [arduhnd*a*]
bicycle bisikl*e*t
can we hire bicycles here? burada bisiklet kiralayabilir miyiz? [b*oo*— . . .—l*ee*r meeyeez]
big büyük [bewy*ew*k]
a big one büyük bir tane [. . . t*a*neh]
that's too big o fazl*a* büyük
it's not big enough yeterince büyük değil [—j*eh* . . . deh-*ee*l]
have you got a bigger one? daha büyük bir tane yok mu? [dah*a* . . . moo]
bikini bik*i*ni
bilet gişesi *ticket office*
bill hesap [hehs*a*p]
could I have the bill, please? hesap lütfen [. . . l*ew*tfen]
bird kuş [koosh]
birinci sınıf *first class*
birthday doğum günü [doh*oo*m gewn*ew*]
happy birthday! doğum gününüz kutlu olsun! [. . .—n*ew*z kootl*oo* ols*oo*n]
it's my birthday bugün benim doğum günüm [booge*w*n ben*ee*m . . .]
biscuit bisküvi [beesk*ew*vee]
bit: just a little bit for me bana yalnız biraz [ban*a* yaln*uh*z beer*a*z]

that's a bit too expensive bu biraz fazla pahalı [boo . . . fazl*a* pahal*uh*]
a bit of that cake o pastad*a*n birazcık [—j*uh*k]
a big bit büyük bir parça [bewy*ew*k beer parch*a*]
bite: I've been bitten *(by dog)* ısırıldım [uhsuh-ruhld*uh*m]
(by insect) beni böcek soktu [ben*ee* burjek sokt*oo*]
» TRAVEL TIP: *there is rabies in Turkey, so stay away from stray dogs*
bitter *(taste)* acı [aj*uh*]
black siyah [seey*ah*]
he's had a blackout bayıldı [ba-yuhld*uh*]
Black Sea Kar*a*deniz
bland yav*a*n
blanket battaniye [—*a*neeyeh]
I'd like another blanket bir battaniye daha rica ediyorum [. . . dah*a* reej*a* ed*ee*yoroom]
bleach çamaşır suyu [chama-sh*uh*r sooy*oo*]
bleed kanam*a*k
his nose is bleeding burnu kanıyor [boorn*oo* kanuhyor]
bless you! *(after sneeze)* çok yaşa [chok yash*a*]
blind *(cannot see)* kör [kur]
(on window) perde [perd*eh*]
blind spot kör nokt*a* [kur . . .]
blister: I've got a blister on my finger parmağım su topladı [parma-h*uh*m soo toplad*uh*]
blonde *(noun)* sarışın [saruh-sh*uh*n]
blood kan [kahn]
his blood group is . . . onun kan grubu . . .-dır [on*oo*n kahn gooro*boo* . . .-d*ee*r]
I've got high blood pressure yüksek tansiyonum var [yewks*e*k —n*oo*m . . .]
he needs a blood transfusion kan nakline ihtiyacı var [. . .—n*eh* eehteeyaj*uh* . . .]
bloody mary 'bloody mary'

blouse bluz [blooz]

» *TRAVEL TIP: blouse sizes*

UK	*10*	*12*	*14*	*16*	*18*
Turkey	*38*	*40*	*42*	*46*	*48*

blue mavi [mahvee]

Blue Mosque Sultan Ahmet Camisi [sooltan aHmet jameesee]

board: full board tam pansiyon [tahm —yon]
half board yarım pansiyon [yaruhm . . .]

boarding pass biniş kartı [beneesh kartuh]

boat gemi [gemee]
(small) kayık [ka-yuhk]
when is the next boat to . . .? . . .'e ilk vapur ne zaman? [. . . vapoor neh zaman]

body vücut [vewjoot]
(corpse) ceset [jehset]

boil *(noun)* çıban [chuhban]
do we have to boil the water? suyu kaynatmamız lazım mı? [sooyoo kI-natma-muhz lazuhm muh]

boiled egg kaynamış yumurta [kI-namuhsh yoomoorta]

bone kemik

bonnet *(car)* kaput [kapoot]

book *(noun)* kitap
booking office bilet gişesi [beelet geeshehsee]
can I book a seat for . . .? . . .'e bir yer ayırtabilir miyim? [. . . a-yuhrta-beeleer meeyeem]

bookshop kitapçı [keetap-chuh]

» *TRAVEL TIP: English-language bookshops tend to be expensive; 'Sahaflar Çarşısı', [sahaflar charshusuh] an open-air book market just behind the Covered Bazaar in Istanbul, is a good place to buy secondhand English books*

boot çizme [cheezmeh]; *(car)* bagaj [bagaJ]

booze içki [eechkee]
I had too much booze last night dün gece fazla içtim [dewn gehjeh fazla eechteem]

border sınır [suhn*uh*r]
bored: I'm bored canım sıkılıyor [jahn*uh*m suh-kuhluhyor]
boring sıkıcı [suhkuhj*uh*]
born: I was born in ... ...-de doğdum [...-d*eh* dohdoom]
see **date**
borrow: can I borrow ...? ...-i ödünç alabilir miyim? [...-*ee* urd*ew*nch alabeel*ee*r meey*ee*m]
Bosporus İstanbul Boğazı [... bo-az*uh*]
boss patron
both ikisi de
I'll take both of them ikisini de alacağım [eekees*ee*nee deh alaj*a*-uhm]
bottle şişe [sheesh*eh*]
bottle-opener şişe açacağı [sheesh*eh* achaj*a*-uh]
bottom: at the bottom of the hill tepenin eteğinde [tehp*eh*neen eteh-eend*eh*]
bouncer fedai [feda-*ee*]
bowels bağırsaklar [ba-uhrsakl*a*r]
bowl *(noun)* kâse [kas*eh*]
box kutu [koot*oo*]
boy oğlan [ol*ah*n]
boyfriend erkek arkadaş [erk*e*k arkad*a*sh]
bozuk *out of order*
bra sütyen [sewtyen]
bracelet bilezik [beelehz*ee*k]
brakes frenler
could you check the brakes? frenleri kontrol edebilir misiniz?
I had to brake suddenly aniden fren yapmak zorunda kaldım [an*ee*den ... zoroond*a* kald*uh*m]
he didn't brake fren yapmadı [...—d*uh*]
brandy konyak
bread ekmek
could we have some bread and butter? biraz ekmek ve tereyağı getirir misiniz? [beer*a*z ... ter*eh*ya-uh gehteer*ee*r meeseen*ee*z]

some more bread, please biraz dah*a* ekmek, lütfen [. . . le*w*tfen]
break *(verb)* kırmak [kuhrm*a*k]
I think I've broken my arm kolumu kırdım, sanıyorum [koloomoo kuhrd*uh*m sanuhyoroom]
breakable kırılabilir [kuhruhlabeel*ee*r]
breakdown: I've had a breakdown arabam arıza yaptı [arab*a*m *a*ruhza yapt*uh*]
nervous breakdown sin*i*r kriz*i*
» *TRAVEL TIP: check with the Touring and Automobile Club of Turkey in Istanbul or with local tourist offices for information on breakdowns; there's no nationwide network like the AA etc*
breakfast kahvaltı [—t*uh*]
English breakfast İngiliz kahvaltısı [*ee*ngeeleez —t*uh*suh]
breast göğüs [gur-*ew*s]
breath nef*e*s
he's getting very short of breath nefesi çok daralıyor [nef*e*see chok —luhyor]
breathe nef*e*s alm*a*k
I can't breathe nefes alamıyorum [. . . al*a*muhyoroom]
bridge köprü [kurpr*ew*]
briefcase evrak çantası [evr*a*k chantas*uh*]
brighten up: do you think it'll brighten up later? acaba sonradan güneş açar mı? [*a*jaba s*o*nradan gewnesh ach*a*r muh]
brilliant *(person)* çok zeki [chok zek*ee*]
(idea, swimmer) parl*a*k
bring getirmek [geteerm*e*k]
could you bring it to my hotel? otelime getirebilir misiniz? [—m*eh* —beel*ee*r meeseen*ee*z]
Britain Büyük Britanya [bewy*ew*k breet*a*n-ya]
British İngiliz [*ee*ngeeleez]
brochure broşür [brosh*ew*r]
have you got any brochures about . . .? . . . hakkında broşür var mı? [hak-kuhnd*a* . . . muh]

broken bozuk [boz*oo*k]
you've broken it onu bozmuşsunuz [on*oo* bozm*oo*shsoonooz]
it's broken bozulmuş [bozoolm*oo*sh]
my room/car has been broken into odam*a*/ arabam*a* hırsız girmiş [. . . huhr-s*uh*z geerm*ee*sh]
brooch broş [brosh]
brother: my brother erkek kardeşim [erk*e*k kardesh*ee*m]
brown kahv*e*rengi
brown paper paket kâğıdı [pak*e*t ka-uhd*uh*]
browse: can I just browse around? biraz bakınmak istiyorum [beer*a*z bakuhnm*a*k eesteey*o*room]
bruise *(noun)* çürük [chewre*w*k]
brunette *(noun)* esm*e*r
brush *(noun)* fırça [fuhrch*a*]
bucket kov*a*
buffet büfe [bewf*eh*]
building bin*a*
bulb ampul [ahmp*oo*l]
the bulb's gone ampul yanmış [. . . yahnm*uh*sh]
Bulgaria Bulgarist*a*n
bump: he's had a bump on the head başını çarptı [bashuh-n*uh* charpt*uh*]
bumper tamp*o*n
bunch of flowers çiçek buketi [cheech*e*k booket*ee*]
bunk ranz*a*
bunk beds ranzal*a*r
buoy şamandıra [shahm*ah*n-duhrah]
burglar hırsız [huhr-s*uh*z]
they've taken all my money bütün paramı çaldılar [bewt*ew*n param*uh* chald*uh*lar]
burnt: this meat is burnt bu et yanmış [boo et yahnm*uh*sh]
my arms are burnt kollarım yandı [—r*uh*m yahnd*uh*]

can you give me something for these burns? bu yanıklar için bana bir şey verebilir misiniz? [boo yahnuk*la*r eech*ee*n ban*a* beer shay —l*ee*r meeseen*ee*z]

bus otobüs [—b*ew*s]

bus stop otobüs durağı [. . . doora-*uh*]

could you tell me when we get there? oraya ne zaman varacağımızı söyleyebilir misiniz? [ora-y*a* neh zam*a*n varaj*a*-uhmuhzuh surlay-eb*ee*l*ee*r meeseen*ee*z]

» *TRAVEL TIP: intercity bus network is extensive, fast and quite cheap*

business: I'm here on business iş için buradayım [eesh eech*ee*n b*oo*rada-yuhm]

business trip iş seyahati [eesh seh-yahat*ee*]

none of your business! sizi ilgilendirmez [seez*ee* —mez]

bust göğüs [gur-*ew*s]

» *TRAVEL TIP: bust sizes*

UK	*32*	*34*	*36*	*38*	*40*
Turkey	*80*	*87*	*91*	*97*	*107*

busy *(telephone)* meşgul (meshg*oo*l]

(streets etc) kalabalık [—*uh*k]

are you busy? meşgul müsünüz? [. . . mewsewn*ew*z]

but am*a*

not this one but that one bu değil, o [boo deh-*ee*l o]

butcher's kas*a*p

butter tereyağı [ter*eh*ya-uh]

button düğme [dewm*eh*]

buy: I'll buy it alıyorum [al*uh*yoroom]

where can I buy . . .? nerede . . . satın alabilirim? [n*e*redeh . . . sat*uh*n alab*ee*leereem]

by: I'm here by myself burada yalnız olarak bulunuyorum [boo— yaln*uhz* olar*a*k booloonoo-yoroom]

are you by yourself? yalnız mısınız? [. . . muhsuh-n*uh*z]

can you do it by tomorrow? yarına kadar hazır olabilir mi? [yaruhna kadar hazuhr olabeeleer mee]
by train/car/plane tren/otomobil/uçak ile [. . ./oochahk/. . . eeleh]
who's it made by? bunun yapıcısı kim? [boonoon yahpuh-juhsuh . . .]
Byzantine Bizans
cabaret kabare [—reh]
cabbage lahana
cabin *(on ship)* kamara
cable *(noun)* kablo
café kahve [—veh]
» *TRAVEL TIP: the traditional Turkish 'kahve' is a male domain; a 'gazino' or 'çay bahçesi' [chI bahchehsee] is a tea-garden which will serve both sexes and have beer as well as soft drinks; a 'kafe' also serves both sexes and has a full range of alcoholic drinks, plus substantial snacks or even full meals*
cake pasta
a piece of cake bir dilim pasta
calculator hesap makinesi [hehsap —nehsee]
call çağırmak [cha-uhrmak]
will you call the manager? müdürü çağırır mısınız? [mewdewrew cha-uh-ruhr muhsuhnuhz]
what is this called? buna ne denir? [boona neh deneer]
call box telefon kulübesi [—fon koolewbesee]
calm *(sea)* sakin [sahkeen]
calm down sakin olun [. . . oloon]
camera fotoğraf makinesi [—ohraf —nehsee]
» *TRAVEL TIP: there are theoretically no restrictions on photography, but use your own judgement and particularly in more remote areas don't photograph anything that looks military*
camp: is there somewhere we can camp? buralarda kamp yapabileceğimiz bir yer var mı? [boo— . . .—beelejeh-eemeez . . . muh]

can we camp here? burada kamp yapabilir miyiz? [b*oo*rada . . .—beel*ee*r meey*ee*z]
camping holiday kamp kurularak yapılan tatil [. . . kooroolar*a*k yapuhl*a*n taht*ee*l]
campsite k*a*mping
» *TRAVEL TIP: for a list of campsites in Turkey apply to the Touring and Automobile Club in Istanbul or write to the Turkish Tourist Office in London*
can[1]: a can of beer bir kutu bira [. . . koot*oo* beer*a*]
can-opener konserve açacağı [kons*e*rveh achaj*a*-uh]
can[2]: can I have . . .? bana . . . verebilir misiniz? [ban*a* . . . verebeel*ee*r meeseen*ee*z]
can you show me . . .? bana . . . gösterebilir misiniz? [. . . gurstereh-beel*ee*r meeseen*ee*z]
I can't . . . . . .-mem
he can't . . . . . .-mez
we can't . . . . . .-meyiz
Canada Kan*a*da
Canadian *(person)* Kan*a*dalı
cancel: I want to cancel my booking rezervasyonumu iptal etmek istiyorum [—y*o*noo-moo eept*a*l etm*e*k eest*ee*yoroom]
can we cancel dinner for tonight? bu akşamki yemek rezervasyonumuzu iptal edebilir miyiz? [boo akshamk*ee* yem*e*k —yonoomoozoo eept*a*l —beel*ee*r meey*ee*z]
candle mum [moom]
can yelekleri *life jackets*
capsize alabora olm*a*k
car otomob*i*l
by car otomob*i*l il*e*
carafe sürahi [sewr*a*-hee]
caravan karav*a*n
carburettor karbüratör [—bewrat*ur*]
cards oyun kağıdı [oy*oo*n ka-uhd*uh*]
do you play cards? kağıt oynar mısınız [ka-*uh*t oyn*a*r muhsuhn*uh*z]

care: goodbye, take care hoşça kalın [hoshch*a* kal*uh*n]
will you take care of this suitcase for me? bu bavula bakabilir misiniz? [boo bavool*a* —beel*ee*r meeseen*ee*z]
careful: be careful dikkatli olun [—l*ee* ol*oo*n]
car-ferry araba vapuru [—b*a* vapoor*oo*]
car park otop*a*rk
carpet halı [hal*uh*]
carrot havuç [hav*oo*ch]
carry: will you carry this for me? bunu benim için taşıyabilir misiniz? [boon*oo* ben*ee*m eech*ee*n tashuhyabeel*ee*r meeseen*ee*z]
carry-cot portbebe [—b*eh*]
carving oym*a*
case *(suitcase)* valiz [val*ee*z]
cash nak*i*t par*a*
I haven't any cash yanımda nakit para yok [—nuhmd*a* . . .]
cash desk kas*a*
will you cash a cheque for me? benim için bir çek bozar mısınız? [ben*ee*m eech*ee*n beer chek boz*a*r muhsuhn*uh*z]
casino kumarhane [koomarh*a*neh]
cassette kas*e*t
» *TRAVEL TIP: cassettes and LPs manufactured under licence in Turkey retail at a fraction of UK prices; a visit to the nearest 'plakçı' [plakchuh], or record shop, is a must for music lovers*
cat ked*i*
catch: where do we catch the bus? otobüse nereden binebiliriz? [—bews*eh* n*eh*reden beenebe*e*leereez]
he's caught a bug bir mikrop kaptı [. . .—rop kapt*uh*]
cathedral katedr*a*l
Catholic *(adjective)* Katol*i*k
cauliflower karnabah*a*r

cave mağara [ma-ar*a*]
ceiling tav*a*n
çekiniz *pull*
celery sap kerevizi [. . .—veez*ee*]
cellophane jelatin [ʀeh-lat*ee*n]
centigrade santigr*a*t
» TRAVEL TIP: *to convert C to F: C/5 × 9 + 32 = F*

centigrade	*−5*	*0*	*10*	*15*	*21*	*30*	*36.9*
Fahrenheit	*23*	*32*	*50*	*59*	*70*	*86*	*98.4*

centimetre santimetre [—m*e*treh]
» TRAVEL TIP: *1 cm = 0.39 inches*
central merkezi [—z*ee*]
with central heating kaloriferli [—l*ee*]
centre merk*e*z
how do we get to the centre? şehir merkezine nasıl gidilir? [sheh-*ee*r —zeen*eh* nas*uh*l geedeel*ee*r]
certain kes*i*n
are you certain? em*i*n misin*i*z?
certificate belge [belg*eh*]
çevre yolu *ring road*
chain zincir [—jeer]
chair iskemle [eesk*e*mleh]
chambermaid oda hizmetçisi [od*a* —chees*ee*]
champagne şampanya [shamp*a*nya]
change: could you change this into liras? bunu bozup bana Türk lirası verebilir misiniz? [boon*oo* boz*oo*p ban*a* tewrk leeras*uh* —beel*ee*r meeseen*ee*z]
I haven't any change hiç bozuk param yok [heech boz*oo*k par*a*m . . .]
do we have to change trains? aktarma yapmamız lazım mı? [—m*a* yapmam*uhz* laz*uh*m muh]
I'll just get changed üstümü değiştirip geliyorum [ewstewm*ew* deh-*ee*shteereep —yoroom]
» TRAVEL TIP: *as it is now legal for Turks to have foreign-currency accounts, you may find other*

buyers for your pounds than just banks; be careful to check the exchange rate, which fluctuates daily and is advertised in newspapers and banks

channel: the Channel Manş Denizi [mansh deneez*ee*]

charge: what will you charge? ne ücret alacaksınız [neh ewjr*e*t —j*a*ksuhnuhz]

who's in charge? buranın yöneticisi kim? [booran*uh*n yurneteejees*ee* . . .]

chart şema [shem*a*]

cheap ucuz [ooj*oo*z]

have you got something cheaper? dah*a* ucuz bir şey var mı? [. . . shay var muh]

cheat: I've been cheated aldatıldım [—tuhl-d*uh*m]

check: will you check? kontrol ed*e*r misin*i*z?

I'm sure, I've checked emin*i*m, kontr*o*l ett*i*m

will you check the total? toplamı kontrol eder misiniz? [—m*uh* . . . ed*e*r meeseen*ee*z]

cheek yan*a*k

cheeky küstah [kewst*a*H]

cheerio *(bye-bye)* eyvallah [ayvall*a*H]

cheers *(toast)* şerefe [sherehf*eh*]

(thank you) sağol [s*a*-ol]

cheese peynir [payn*ee*r]

say cheese gülümseyin [gewlewm-say*ee*n]

chef aşçıbaşı [ashch*uh*-bashuh]

chemist's eczane [ejz*a*neh]

cheque çek [chek]

will you take a cheque? çek kabul eder misiniz? [. . . kab*oo*l eder meeseen*ee*z]

cheque book çek defter*i*

» TRAVEL TIP: *Eurocheques drawn on the bearer's current account are widely accepted in Turkey*

chest göğüs [gur-*ew*s]

» TRAVEL TIP: *chest measurements*

UK	*34*	*36*	*38*	*40*	*42*	*44*	*46*
Turkey	*87*	*91*	*97*	*102*	*107*	*112*	*117*

chewing gum çiklet [cheeklet]

chickenpox suçiçeği [soochech*eh*-ee]
child çocuk [chojook]
children çocuklar [—l*a*r]
children's portion çocuk porsiyonu [. . .—yonoo]
» *TRAVEL TIP: not available at most restaurants; ask instead for a 'yarım porsiyon' (half portion)*
chin çene [chehn*eh*]
china porsel*e*n
chips patates kızartması [pat*a*tes kuhzartmas*uh*]
(casino) fiş [feesh]
chocolate çikolata [cheekol*a*ta]
hot chocolate kak*a*o
a box of chocolates bir kutu çikolata
choke *(car)* jikle [Jeekl*eh*]
chop *(noun)* pirzola
pork/lamb chop domuz/kuzu pirzolası [domooz/koozoo —s*uh*]
Christian name ad [ahd]
Christmas No*e*l
church kilis*e*
where is the Protestant/Catholic Church? Protest*a*n/Katol*i*k kilises*i* nerede? [. . . n*e*redeh]
cider elma şırası [elm*a* shuhras*uh*]
çift yataklı oda *twin room*
cigar puro [pooro]
cigarette sigar*a*
would you like a cigarette? sigara ister misiniz? [. . . eest*e*r meeseen*ee*z]
tipped or plain? filtreli mi, filtresiz mi?
çıkılmaz *no exit*
çıkış *exit*
cine-camera film kamerası [. . .—s*uh*]
cinema sinema
» *TRAVEL TIP: cinemas are inexpensive in Turkey and films are often shown in their original language; look for the word 'Ingilizce' on the posters to check a film is being shown in English*
çimenlere basmayınız *keep off the grass*

circle daire [da-eer*eh*]
(in cinema) balkon
city şehir [sheh-h*ee*r]
claim *(insurance)* talep
clarify açıklamak [achuhklam*a*k]
clean *(adjective)* temiz
can I have some clean sheets? lütfen temiz çarşaf verir misiniz? [le*w*tfen . . . charsh*a*f ver*ee*r meeseen*ee*z]
my room hasn't been cleaned today bugün odam temizlenmemiş [booge*w*n od*a*m —lenmemeesh]
it's not clean bu temiz değil [boo . . . deh-*ee*l]
cleansing cream temizleyici krem [temeezl*a*yeejee . . .]
clear: I'm not clear about it bunu tam anlamış değilim [boonoo . . .—m*uh*sh deh-eel*ee*m]
clever akıllı [akuhll*uh*]
climate iklim
» *TRAVEL TIP: western and southern Turkey have a Mediterranean climate, but expect sub-tropical summer temperatures in inland areas in the southeast and very cold weather in central and northern Anatolia in winter*
cloakroom vestiyer
(WC) tuvalet [toovalet]
close[1] yakın [yak*uh*n]
(weather) havasız [—s*uh*z]
close[2]**: when do you close?** saat kaçta kapatıyorsunuz? [saht k*a*chta —tuhyorsoonooz]
closed kapalı [—l*uh*]
cloth kumaş [koom*a*sh]
(rag) bez
clothes elbiseler
cloud bulut [boolo*o*t]
clutch debriyaj [—y*a*J]
the clutch is slipping debriyaj kaçırıyor
coach otobüs [—be*w*s]

coach party otobüsle seyahat eden grup [—l*eh* seh-yah*a*t ehd*e*n groop]
coast sah*i*l
coastguard sahil muhafaza [. . . moohafaz*a*]
coat p*a*lto
cockroach hamam böceği [ham*a*m burjeh-ee]
coffee kahve [kahv*eh*]
a coffee, please bir kahve, lütfen [. . . l*ew*tfen]
» TRAVEL TIP: *if you simply ask for 'kahve', you'll be given Turkish coffee; most places frequented by tourists should have 'Nescafe' (the generic name for any brand of instant coffee) and some may even have 'Amerikan kahvesi' (percolated); if you like your coffee without sugar ask for it 'sade' [sahdeh]; medium is 'orta' and very sweet is 'şekerli' [shekerlee]*
coin madeni para [madehn*ee* par*a*]
cold soğuk [soh-*oo*k]
I'm cold üşüyorum [ewsh*ew*yoroom]
I've got a cold soğuk aldım [. . . ald*uh*m]
collapse: he's collapsed yığılıverdi [yuh-uh-l*uh*verdee]
collar yak*a*
» TRAVEL TIP: *collar sizes*

UK	*14*	*14.5*	*15*	*15.5*	*16*	*16.5*	*17*
Turkey	*36*	*37*	*38*	*39*	*41*	*42*	*43*

collect: I want to collect . . . . . .-i almay*a* geld*i*m
colour renk
have you any other colours? başka renkleriniz var mı? [b*a*shka r*e*nk— var muh]
comb tar*a*k
come gelm*e*k
I come from London ben Londralıyım [. . . l*o*ndra-luhyuhm]
we came here yesterday buraya dün geldik [b*oo*ra-ya dewn geld*ee*k]
come on! hadi! [had*ee*]
come here buraya gelin [. . . gel*ee*n]

comfortable rah*a*t
it's not very comfortable çok rahat değil [chok . . . deh-*ee*l]
Common Market Ort*a*k Paz*a*r
communication cord imd*a*t fren*i*
company *(business)* şirket [sheerk*e*t]
you're good company sizinle berab*e*r olm*a*k hoş [seezeenl*eh* . . . hosh]
compartment *(train)* kompartıman [—tuhm*a*n]
compass pusula [poos*oo*la]
compensation tazmin*a*t
I demand compensation tazminat tal*e*p ed*i*yorum
complain şikâyet etmek [sheeka-y*e*t etm*e*k]
I want to complain about my room/the waiter odamdan/garsondan şikâyetçiyim [—d*a*n/—d*a*n —cheey*ee*m]
completely tamam*e*n
complicated: it's very complicated çok karmaşık [chok —sh*uh*k]
compliment: my compliments to the chef aşçıbaşının eline sağlık [ashch*uh*-bashuhnuhn eelen*e*h s*a*-luhk]
concert kons*e*r
concussion beyin sarsıntısı [beh-y*ee*n sarsuhn-tuhs*uh*]
condition durum [door*oo*m]
it's not in very good condition pek iyi durumda değil [. . .—d*a* deh-*ee*l]
conference konfer*a*ns
confession itir*a*f
confirm: I want to confirm . . . . . .-i tey*i*t etm*e*k ist*i*yorum
confuse: you're confusing me kafamı karıştırıyorsunuz [—muh karuhsh-tuhruhy*o*r-soonooz]
congratulations! tebrikl*e*r!
conjunctivitis konj*o*nktivit
con-man dolandırıcı [—duhruhj*uh*]

connection *(travel)* bağlantı [ba-lant*uh*]
connoisseur erbap [erb*ah*p]
conscious: he is conscious ayık [ay*uh*k]
consciousness: he's lost consciousness kendinden geçti [—d*e*n gecht*ee*]
constipation kabızlık [kabuhzl*uh*k]
consul konsolos
consulate konsolosluk [—l*oo*k]
contact: how can I contact ...? ... ile nasıl temas kurabilirim? [eel*eh* nas*uh*l tem*a*s koorab*ee*leereem]
contact lenses kont*a*k lensl*e*ri
contraceptive gebeliği önleyici [—lee-*ee* urnleh-yeej*ee*]
convenient uygun [oo-ee-go*o*n]
cook: the cook aşçı [ashch*uh*]
it's not cooked pişmemiş [p*ee*shmemeesh]
it's beautifully cooked çok güzel pişmiş [chok gewz*e*l peeshm*ee*sh]
cooker ocak [oj*a*k]
cool ser*i*n
cöp *litter*
copper bakır [bak*uh*r]
corkscrew tirbuşon [—boosh*o*n]
corn *(foot)* nasır [nas*uh*r]
corner köşe [kursh*eh*]
can we have a corner table? köşede bir masa rica edebilir miyiz? [—d*eh* beer mas*a* reej*a* edebeel*ee*r meey*ee*z]
cornflakes 'corn flakes'
correct doğru [doh-r*oo*]
cosmetics kozmet*i*k
cost: what does it cost? fiyatı nedir? [—t*uh* n*e*deer]
that's too much çok pahalı [chok pahal*uh*]
I'll take it satın alıyorum [sat*uh*n al*uh*yoroom]
cotton wool pamuk (pamo*o*k]
couchette kuşet [koosh*e*t]
cough *(noun)* öksürük [urksew-re*w*k]

cough syrup öksürük şurubu [urksew-r*ew*k shoorooboo]
could: could you please ...? lütfen ...-bilir misiniz? [l*ew*tfen ...-beel*ee*r meeseen*ee*z]
could I have ...? ... istiyorum [... eest*ee*yo-room]
country ülke [ewlk*eh*]
in the country şehir dışında [sheh-*ee*r duhshuhnd*a*]
couple: a couple of ... *(two)* bir çift ... [beer cheeft ...]
(a few) bir ik*i* tane [... t*a*neh]
courier kurye [kooryeh]
course: of course tabii [t*a*bee]
court: I'll take you to court sizi dava edeceğim [seez*ee* dav*a* edej*eh*-eem]
cousin: my cousin *(male)* kuzenim [koozen*ee*m]
(female) kuzinim [koozeen*ee*m]
cover: keep him covered üstünü örtülü tutun [ewstewn*ew* urtewl*ew* tootoon]
cover charge giriş ücreti [geer*ee*sh ewjreht*ee*
cow in*e*k
crab yengeç [—gech]
crash: there's been a crash kaza olmuş [kaz*a* olm*oo*sh]
crash helmet motosikletçi miğferi [—ch*ee* meefer*ee*]
crazy del*i*
you're crazy delisin*i*z
cream *(on milk)* kaymak [kımak]
(in cake) krema
(for skin, cream) krem
crèche kreş [kresh]
credit card kredi kartı [kred*ee* kart*uh*]
crisis kriz
crisps çips [cheeps]
crossroads kavşak [kavsh*a*k]
crowded kalabalık [—l*uh*k]
cruise vapur gezisi [vap*oo*r gezees*ee*]

crutch *(for invalid)* koltuk değnekleri [—t*oo*k dehnekl*e*ree]
cry: don't cry ağlamayın [a-l*a*ma-yuhn]
cup fincan [feenj*a*n]
a cup of coffee bir fincan kahve [. . . kahv*eh*]
cupboard dol*a*p
curry kar*i*
curtains perdel*e*r
cushion yastık [yast*uh*k]
Customs Gümrük [gewmr*ew*k]
» *TRAVEL TIP: anything that might be an antique, including old carpets or carved stonework etc that you may happen to find, needs an export permit; without one you could be fined or even imprisoned*
cut: I've cut my hand elim*i* kest*i*m
cycle: can we cycle there? *o*raya bisikletle gidebil*i*r miy*i*z? [. . .—letleh . . .]
cyclist bisikletli [—l*e*tlee]
cylinder silind*i*r
cylinder-head gasket mot*o*r kap*a*k contası [. . . jontas*uh*]
Cyprus Kıbrıs [k*uh*bruhs]
dad(dy): my dad(dy) bab*a*m
damage: I'll pay for the damage hasarı ödeyeceğim [—r*uh* urdeh-yej*eh*-eem]
damaged hasar görmüş [has*a*r gurm*ew*sh]
damn! All*a*h kahrets*i*n!
damp neml*i*
dance dans
would you like to dance? dans etm*e*k ist*e*r misin*i*z?
dangerous tehlikel*i*
danışma *information*
Dardanelles Çanakkale Boğazı [chan*a*kkaleh bo-az*uh*]
dark karanlık [—l*uh*k]
when does it get dark? hava saat kaçta kararıyor? [hav*a* saht k*a*chta —ruhyor]
dark blue lacivert [lajeev*e*rt]

darling sevgil*i*
dashboard kumanda tablosu [koomanda tablos*oo*]
date: what's the date? bugün ayın kaçı? [booge*w*n a-*yuh*n kach*uh*]
can we have a date? *(romantic)* birlikte bir yere gidebilir miyiz? [beerleek*teh* beer yer*eh* gidebeel*ee*r meeyeez]
can we fix a date? *(business)* bir tarih kararlaştırabilir miyiz? [. . . tar*ee*H kararlashtuhrabeel*ee*r . . .]
on the fifth of May beş Mayısta [besh ma-yuhst*a*]
in 1951 bin dokuz yüz elli birde [. . . dok*oo*z yewz ell*ee*beerd*eh*]
(fruit) hurma [hoorm*a*]
daughter: my daughter kızım [kuhz*uh*m]
day gün [gewn]
dazzle: his lights were dazzling me farları gözümü alıyordu [—*ruh* gurzewme*w* aluhyord*oo*]
dead ölü [urle*w*]
deaf sağır [sa-*uh*r]
deal: it's a deal tamam, anlaştık [tam*a*m anlasht*uh*k]
will you deal with it? siz bununla ilgilenebilir misiniz? [seez boonoonl*a* —beel*ee*r meeseen*e*z]
dear *(expensive)* pahalı [—l*uh*]
Dear Sir Sayın Bay *(+ surname)* [sa-*yuh*n bɪ]
Dear Madam Sayın Bayan *(+ surname)* [. . . bɪ-*a*n]
Dear Hasan Sevgil*i* Has*a*n
December Aralık [—l*uh*k]
deck güverte [ge*w*verteh]
deckchair şezlong [shezlong]
declare: I have nothing to declare deklare edecek bir şeyim yok [—*eh* edejek beer shayeem . . .]
deep der*i*n
is it deep? derin mi?

defendant sanık [san*uh*k]
delay: the flight was delayed uçak rötar yaptı [ooch*a*k rurt*a*r yapt*uh*]
deliberately k*a*sten
delicate *(person)* nar*i*n
delicious nef*i*s
delivery: is there another mail delivery? başka posta dağıtımı var mı? [b*a*shka post*a* da-uhtuhm*uh* var muh]
de luxe lüks [lewks]
demiryolu geçidi *level crossing*
democratic demokrat*i*k
dent *(noun)* çukur [chook*oo*r]
you've dented my car arabamda çukur açtınız [—d*a* . . . achtuhn*uh*z]
dentist dişçi [deesh-ch*ee*]
YOU MAY HEAR . . .
iyice açın [eeyeej*eh* ach*uh*n] *open wide*
çalkalayın [chalkala-y*uh*n] *rinse out*
dentures takma diş [takm*a* deesh]
deny: I deny it inkâr ediyorum [eenk*a*r ed*ee*yoroom]
deodorant deodor*a*n
departure kalkış [kalk*uh*sh]
depend: it depends (on . . .) (. . .-a) bağlı [ba-l*uh*]
deport sınır dışı etmek [suhn*uh*r duhsh*uh* etm*e*k]
deposit depozit*o*
do I have to leave a deposit? kapora vermem lazım mı? [kap*o*ra verm*e*m laz*uh*m muh]
depressed kederl*i*
depth derinl*i*k
desperate: I'm desperate for a drink içecek bir şey için ölüyorum [eechej*e*k beer shay eech*ee*n url*ew*yoroom]
dessert tatlı [tatl*uh*]
» *TRAVEL TIP: Turks are partial to desserts and have establishments which serve nothing else; if you have a sweet tooth make sure you visit both a*

'baklavacı' [—juh] specializing in oriental pastries and a 'muhallebici' [—jee] where an entire range of delicious milk puddings can be found

destination gidilecek yer [—j*e*k . . .]

detergent deterjan [deh-ter*Jan*]

detour: we have to make a detour via . . .
. . . üstünden dolaşıp gitmek zorundayız [ewstewnd*e*n dolash*uh*p gitm*e*k zoroonday*uh*z]

devalued değeri düşürülmüş [deh-er*ee* dewshew-newlm*ew*sh]

devamlı virajlar *series of bends*

develop: could you develop these? bu f*i*lmleri b*a*nyo edebil*i*r misin*i*z?

diabetic şeker hastası [shek*e*r hastas*uh*]

dialling code telefon kodu [—f*o*n kod*oo*]

diamond elm*a*s

diarrhoea ishal [ees-h*a*l]

have you got something for diarrhoea? ishale karşı bir ilaç var mı? [—*eh* karsh*uh* beer eel*a*ch var muh]

diary günce [gewnj*eh*]

dictionary sözlük [surzl*ew*k]

didn't *see* **not**

die ölmek [urlm*e*k]

he's dying ölüyor [urlewy*o*r]

diesel *(fuel)* maz*o*t

diet perhiz [perh*ee*z]

I'm on a diet perhiz yapıyorum [. . . yap*uh*yoroom]

different: they are different birbirlerinden başkalar [—d*e*n bashkal*a*r]

can I have a different room? başka bir oda rica edebilir miyim? [b*a*shka beer od*a* reej*a* —beel*ee*r meey*ee*m]

is there a different route? başka bir yol var mı? [. . . muh]

difficult zor

digestion sindir*i*m

dikkat *caution*
dinghy sandal
dining room yemek salonu [yemek salonoo]
dinner akşam yemeği [aksham yemeh-ee]
(midday) öğle yemeği [urleh . . .]
dinner jacket smokin
direct *(adjective)* direkt
does it go direct? direkt sefer mi?
dirty kirli
disabled özürlü [urzewrlew]
disappear kaybolmak [kɪ-bolmak)
it's just disappeared ortadan kayboldu [—dan kɪ-boldoo]
disappointing düş kırıcı [dewsh kuhruhjuh]
dışarı sarkmayınız *do not lean out*
disco disko
see you in the disco diskoda görüşürüz [—da gur-rewshewrewz]
discount iskonto
disgusting iğrenç [eerench]
dish *(food)* yemek
(plate) tabak
dishonest gayridürüst [gɪ-reedewrewst]
disinfectant dezenfektan
dispensing chemist eczane [ejzaneh]
distance uzalık [oozakluhk]
distilled water arı su [aruh soo]
distress signal imdat işareti [eemdat eesharetee]
distributor *(car)* distribütör [—bewtur]
disturb: the noise is disturbing us gürültü bizi rahatsız ediyor [gewrewltew beezee rahatsuhz edeeyor]
divorced boşanmıs [boshanmuhsh]
do yapmak
how do you do? nasılsınız? [nasuhl-suhnuhz]
what are you doing tonight? bu akşam ne yapıyorsunuz? [boo aksham neh yapuhyorsoonooz]
how do you do it? onu nasıl yapıyorsunuz? [onoo nasuhl yapuhyorsoonooz]

will you do it for me? benim için bunu yapabilir misiniz? [ben*ee*m eech*ee*n boon*oo* —beel*ee*r meeseen*ee*z]
I've never done it before bunu daha önce hiç yapmadım [. . . dah*a* urnj*eh* heech y*a*pmaduhm]
I was doing 60 (kph) saatte 60 yapıyordum [s*ah*tteh . . .]
doctor dokt*o*r
I need a doctor ban*a* bir doktor lazım [. . . laz*uh*m]
» *TRAVEL TIP: make sure you have medical insurance before leaving the UK; most doctors, and particularly specialists in big cities, will have at least a smattering of English*
YOU MAY HEAR . . .
nereniz ağrıyor? [n*e*reneez a-ruhyor] *where's the pain?*
bu dah*a* önce de olmuş muydu? [. . . *ur*njeh deh olm*oo*sh mooyd*oo*] *have you had this before?*
hiçbir ilaç kullanıyor musunuz? [heechb*ee*r eel*a*ch koollanuhyor moosoon*oo*z] *are you taking anything for it?*
bir tane alın/iki tane alın [beer t*a*neh al*uh*n . . .] *take one/two*
günde bir/iki/üç def*a* [gewnd*eh* . . .] *once/twice/three times a day*
yemeklerden önce/sonra *before/after meals*
document belge [belg*eh*]
dog köpek [kurpek]
doğu *east*
doğum tarihi *date of birth*
dolmuş *shared taxi*
dolu *full*
dönel kavşak *roundabout*
don't! y*a*pma! *see* **not**
door kapı [kap*uh*]
dosage doz
double: double room iki kişilik oda [eekee keesheel*ee*k od*a*]

döviz kuru *exchange rate*
down: down the road bu yolun aşağısında [boo yoloon asha-uhsuhnd*a*]
downstairs aşağıda [asha-uhd*a*]
get down! aşağı yat! [ash*a*-uh . . .]
drain *(noun)* lağım [la-*uh*m]
drawing pin raptiye [rapteeyeh]
dress *(woman's)* elbise [elbis*eh*]
» TRAVEL TIP: sizes

UK	*10*	*12*	*14*	*16*	*18*	*20*
Turkey	*38*	*40*	*42*	*44*	*46*	*48*

dressing gown *for (women)* sabahlık [—l*uh*k] *(for men)* robdöşambr [—dursh*a*mbr]
dressing *(for wound)* sargı [sarg*uh*] *(for salad)* sos
drink içki [eechk*ee*]
would you like a drink? bir içki alır mısınız? [. . . al*uh*r muhsuhn*uh*z]
I don't drink alkol almıyorum [alkol *a*lmuhyoroom]
is the water drinkable? bu su içilebilir mi? [boo soo eecheelebeel*ee*r mee]
» TRAVEL TIP: *the Turkish national drink is rakı, an aniseed-flavoured spirit*
drive: I've been driving all day bütün gün araba sürdüm [bewt*ew*n gewn arab*a* sewrd*ew*m]
driver şoför [shof*ur*]
driving licence şoför ehliyeti [shof*ur* —t*ee*]
drown: he's drowning boğuluyor [bo-oolooyor]
drug uyuşturucu madde [ooyoosh-tooroojoo madd*eh*]
drunk *(adjective)* sarhoş [—hosh]
dry kuru [kooroo]
dry-cleaner's kuru temizleyici [kooroo temeezl*a*yeejee]
due: when is the bus due? otobüs kaçta gelecek? [otob*ew*s kacht*a* —jek]
dur *stop*
during sırasında [suhra-suhnd*a*]

duş *shower*
dust toz
duty-free *(adjective)* gümrüksüz [gewmr*ew*k sewz]
(shop) duty-free
» *TRAVEL TIP: at main points of entry into Turkey there are duty-free facilities for arriving as well as departing passengers*
dynamo din*a*mo
each: can we have one each? hepimize bir tane verebil*i*r misin*i*z? [—*zeh* deh beer t*a*neh . . .]
how much are they each? tanesi kaça? [—*see* kach*a*]
ear kulak [kool*a*k]
I have earache kulağım ağrıyor [koola-*uh*m a-ruhyor]
early erk*e*n
we want to leave a day earlier bir gün dah*a* erk*e*n gitm*e*k ist*i*yoruz [. . . gewn . . .]
earring küpe [kewp*eh*]
east doğu [doh-*oo*]
Easter Pask*a*lya
easy kolay [ko-l*I*]
eat yem*e*k
something to eat yiyecek bir şey [—j*e*k beer shay]
egg yumurta [yoomoort*a*]
Eire İrlanda [eerl*a*nda]
either: either . . . or . . . ya . . . ya . . .
I don't like either ikisinden de hoşlanmıyorum [—s*ee*nden deh hoshl*a*nmuhyoroom]
elastic last*i*k
elastic band last*i*k bant
el bagaji *hand luggage*
elbow dirs*e*k
electric elektrikl*i*
electric fire elektrik sobası [—tr*ee*k sobas*uh*]

electrician elektrikçi [—reekch*ee*]
electricity elektr*i*k
» *TRAVEL TIP: except for parts of Istanbul, where it is still 110v, the current in Turkey is 220v AC*
elegant zar*i*f
else: something else başka bir şey [b*a*shka beer shay]
somewhere else başka bir yer
who else? başka kim?
or else ya dediğimi yaparsın, ya da . . . [. . . dedee-eem*ee* —s*uh*n . . .]
emanet *left luggage*
embarrassed utanmış [ootanm*uh*sh]
embarrassing utandırıcı [ootanduh-ruhj*uh*]
embassy elçilik [elcheel*ee*k]
emergency acil durum [*ah*jeel door*oo*m]
empty boş [bosh]
enclose: I enclose . . . İlişikte . . . yolluyorum [eeleesheekt*eh* —looyoroom]
end son
when does it end? ne zam*a*n bitiyor?
engaged *(telephone, toilet)* meşgul [meshg*oo*l]
(person) nişanlı [neeshanl*uh*]
engagement ring nişan yüzüğü [neesh*a*n yewzew-*ew*]
engine mot*o*r
engine trouble motor arızası [. . . aruhzas*uh*]
England İngiltere [eengeelt*eh*reh]
English İngiliz [*ee*ngeeleez]
enjoy: I enjoyed it very much çok hoşuma gitti [chok hoshoom*a* geett*ee*]
enlargement büyültme [bew-yewlt-m*eh*]
enormous dev
enough: thank you, that's enough teşekkür ederim, bu kadar yeter [teshek-k*ew*r eder*ee*m boo kad*a*r yet*e*r]
entertainment eğlence [ehlenj*eh*]
entrance giriş [geer*ee*sh]
envelope zarf

equipment: photography equipment fotoğraf gereçleri [fotohr*a*f gerechler*ee*]
error hat*a*
escalator yürüyen merdiven [yewrewy*e*n merdeev*e*n]
especially özellikle [urzel-leekl*eh*]
essential şart [shart]
it is essential that . . . . . . şarttır [sh*a*rt-tuhr]
Europe Avrupa [avr*oo*pa]
evacuate boşaltmak [boshaltm*a*k]
even: even the British İngilizler bile [*ee*ngeel-eezler beel*eh*]
evening akşam [aksh*a*m]
this evening bu akşam [boo . . .]
good evening iyi akşamlar
evening dress *(for man)* smokin
(for woman) gece elbisesi [gej*eh* elbeeses*ee*]
ever: have you ever been to . . .? hiç . . .-e gittiniz mi? [heech . . .*-eh* geet-teen*ee*z mee]
every her [hehr]
everyone herkes [h*eh*rkes]
everything herşey [h*eh*r-shay]
everywhere her yer [hehr . . .]
evidence del*i*l
exact tam [tahm]
example örnek [urn*e*k]
for example örneğin [urn*eh*-een]
excellent mükemmel [mewkem-m*e*l]
except hariç [h*ah*reech]
except me ben hariç
excess aşırılık [ashuhruh-l*uh*k]
excess baggage fazla bagaj [fazl*a* bag*a*J]
exchange *(noun: money)* k*a*mbiyo
(telephone) santr*a*l
exciting heyecan verici [—j*a*n vereej*ee*]
excursion gezi [gez*ee*]
excuse me *(to get past etc)* p*a*rdon
(to get attention) *a*ffedersiniz
(apology) özür dilerim [urz*ew*r deeler*ee*m]

exhaust *(car)* egzos [ehg-zos]
exhausted bitkin
exit çıkış [chuh-k*uh*sh]
expect: she's expecting bebek bekliyor
expenses: it's on expenses masrafları şirket ödüyor [—lar*uh* sheerket urdewyor]
expensive pahalı [—l*uh*]
that's too expensive çok pahalı [chok . . .]
expert uzman [oozm*a*n]
explain açıklamak [achuhk-lam*a*k]
would you explain that slowly? bunu ağır ağır açıklar mısınız? [boonoo *a*-uhr . . . achuhkl*a*r muhsuhn*uh*z]
export *(noun)* ihraç malı [eeH-r*a*ch mal*uh*]
export permit ihraç permisi [eeH-r*a*ch —s*ee*]
exposure meter pozometre
extra fazladan
an extra glass/day fazladan bir bard*a*k/gün [. . . gewn]
is that extra? bunun için fazladan para vermek lazım mı? [bonoon eecheen . . . laz*uh*m muh]
extremely son derece [. . . derej*eh*]
eye göz [gurz]
eyebrow kaş [kash]
eye shadow göz boyası [gurz —s*uh*]
eye witness görgü tanığı [gurg*ew* tanuh-*uh*]
face yüz [yewz]
face mask yüz maskesi
fact gerçek [gerchek]
factory fabrik*a*
Fahrenheit Fahrenheit

» *TRAVEL TIP: to convert F to C: F − 32 × 5/9 = C*

Fahrenheit	*23*	*32*	*50*	*59*	*70*	*86*	*98.4*
centigrade	*−5*	*0*	*10*	*15*	*21*	*30*	*36.9*

faint: she's fainted bayıldı [bayuhld*uh*]
fair *(fun-)* panayır [—y*uh*r]
(commercial) sergi [—gee]
that's not fair bu haksızlık [boo haksuhzl*uh*k]

faithfully: yours faithfully saygılarımla [sɪ-guhlaruhm*la*]
fake takl*i*t
fall: he's fallen düştü [dewsht*ew*]
false sahte [—t*eh*]
family aile [a-*ee*leh]
fan *(cooling)* vantilatör [—t*ur*]
(hand-held) yelpaze [—z*eh*]
fan belt vantilatör kayışı [. . . ka-yuhsh*uh*]
far uzak [ooz*a*k]
is it far? uzak mı? [. . . muh]
how far is it? ne kad*a*r uzak? [neh . . .]
fare *(travel)* taşıma ücreti [tashuhm*a* ewj-ret*ee*]
farm çiftlik [cheeftl*ee*k]
farther daha ötede [dah*a* urted*eh*]
fashion mod*a*
fast hızlı [huhzl*uh*]
don't speak so fast bu kadar hızlı konuşmayın [boo kad*a*r . . . kon*oo*shmayuhn]
fat *(adjective)* şişman [sheeshm*a*n]
(noun) yağ [ya]
fatal ölümcül [urlewm-j*ew*l]
father: my father bab*a*m
fathom kulaç [kool*a*ch]
fault hat*a*
it's not my fault hata bend*e* değil [. . . deh-*ee*l]
faulty arızalı [aruhzal*uh*]
favourite *(adjective)* gözde [gurzd*eh*]
February Şubat [shoob*a*t]
fed-up: I'm fed-up bıktım [buhkt*uh*m]
feel: I feel cold/hot/sad üşüyorum/sıcak bastı/kederliyim [ewsh*ew*yoroom/suhj*a*k bast*uh*/kederl*ee*yeem]
I feel like . . . . . . ist*i*yorum
ferry feribot
fetch: will you come and fetch me? gelip beni alır mısınız? [gel*ee*p ben*ee* al*uh*r muhsuhn*uhz*]
fever ateş [at*e*sh]

few: only a few yalnız birkaç tane [yaln*uh*z beerk*a*ch *ta*neh]
  a few days birkaç gün [. . . gewn]
fez fes
fiancé(e) nişanlı [neeshanl*uh*]
fiddle: it's a fiddle bu bir dolap [boo beer dol*ah*p]
field *ta*rla
fifty-fifty yarı yarıya [yar*uh* yar*uh*ya]
figs incir [eenj*ee*r]
figure *(number)* sayı [—yuh]
  (of person) vücut yapısı [vewj*oo*t yapuhs*uh*]
  I'm watching my figure şişmanlamamaya dikkat ediyorum [sheeshmanl*a*— deek-k*a*t ed*ee*yoroom]
fill: fill her up depoyu doldurun [—y*oo* doldoor*oo*n]
  to fill in a form bir form doldurmak [. . .—doorm*a*k]
fillet fil*e*to
film film
  do you have this type of film? bu tip film var mı? [boo . . . muh]
filter: filter or non-filter? f*i*ltreli mi, f*i*ltresiz mi?
find bulmak [boolm*a*k]
  if you find it bulursanız [boolo*o*rsanuhz]
  I've found a . . . bir . . . buldum [beer . . . booldo*o*m]
fine *(weather)* güzel [gewz*e*l]
  a 30,000 lira fine 30.000 lira ceza [. . . leer*a* jez*ah*]
  OK, that's fine tamam, bu olur [tam*a*m boo ol*oo*r]
finger parm*a*k
fingernail tırnak [tuhrn*a*k]
finish: I haven't finished bitirmedim [beet*ee*r-medeem]
fire: fire! yangın var! [yang*uh*n . . .]

can we light a fire here? burada ateş yakabilir miyiz? [b*oo*— at*e*sh —beel*ee*r meey*ee*z]
it's not firing *(car)* kontak yapmıyor [—t*a*k y*a*pmuhyor]
fire brigade itfaiye [eetfa-eey*eh*]
fire extinguisher yangın söndürme cihazı [yang*uh*n surndewrm*eh* jeehaz*uh*]
first ilk
I was first ilk ben geld*i*m
first aid ilk yardım [. . . yard*uh*m]
first aid kit ilk yardım çantası [. . . chantas*uh*]
first class *(travel etc)* birinci sınıf [beer*ee*njee suhn*uh*f]
first name ad [ahd]
fish balık [—l*uh*k]
fix: can you fix it? tam*i*r edebil*i*r misin*i*z?
fizzy gazlı [—l*uh*]
flag bayrak [bı-r*a*k]
flash *(photography)* flaş [flahsh]
flat *(adjective)* düz [dewz]
this drink is flat bu içkinin gazı kaçmış [boo eechk*ee*neen gaz*uh* kachm*uh*sh]
I've got a flat (tyre) lastiğim patladı [—tee-eem —d*uh*]
(apartment) daire [da-*ee*reh]
flavour tat [taht]
flea pire [peer*eh*]
flies *(trousers)* pantalon düğmeleri [—l*o*n dewmeh-l*e*ree]
flight number sefer sayısı [sef*e*r sa-yuhs*uh*]
flippers paletl*e*r
flirt *(verb)* flört etmek [flurt etm*e*k]
float *(verb)* yüzmek [yewzm*e*k]
floor yer [yehr]
on the second floor ikinci katta [eek*ee*njee katt*a*]
flower çiçek [cheech*e*k]
flu grip
fly *(insect)* sin*e*k

foggy sisl*i*
follow *ta*kip etm*e*k
food yiyecek [—jek]; *see pages 70-72*
we'd like to eat Turkish-style food türk yemekler*i* istiyoruz [tewrk . . . eesteeyor*oo*z]
fool budala [boodal*a*]
foot ay*a*k
» TRAVEL TIP: *1 foot = 30.5 cm = 0.3 metres*
football *(game)* futbol
for için [eech*ee*n]
for me ben*i*m için
forbidden yas*a*k
foreign yabancı [—j*uh*]
foreign exchange döviz [durv*ee*z]
foreigner yabancı [—j*uh*]
forget: I've forgotten unuttum [oonoot-t*oo*m]
don't forget unutmayın [oon*oo*tmayuhn]
I'll never forget you seni hiç unutmayacağım [sen*ee* heech oon*oo*tmayaja-uhm]
fork çatal [chat*a*l]
form *(document)* form
formal resmi [resm*ee*]
fortnight ik*i* haft*a*
forward *(adverb)* ileriye doğru [—*yeh* doh-r*oo*]
could you forward my mail? bana gelecek mektupları ardımdan gönderir misiniz? [. . .—jek mektoopl*a*ruh arduhmd*a*n gurnder*ee*r meeseen*ee*z]
forwarding address gönderilecek adres [gurndereelej*e*k adr*e*s]
fracture kırık [kuhr*uh*k]
fragile kırılabilir [kuhruh-labeel*ee*r]
fraud sahtekarlık [—l*uh*k]
free bedav*a*
admission free giriş bedava [geer*ee*sh . . .]
freight yük [yewk]
freshen up: I want to freshen up elimi yüzümü yıkamak istiyorum [—m*ee* yewzewm*ew* yuhkam*a*k eest*ee*yoroom]

Friday Cuma [joom*a*]
fridge buzdolabı [boozdolab*uh*]
fried egg yağda yumurta [ya-d*a* yoomoort*a*]
friend arkadaş [arkad*a*sh]
friendly sokulgan [sokoolg*a*n]
from: from England/London İngiltere'den/ Londra'dan [eengeelt*e*—/lon—]
where is it from? bu nereden? [boo n*eh*—]
front *(noun)* ön [urn]
in front of you önünüzde [urnew-newzd*eh*]
in the front önde [urnd*eh*]
frozen donmuş [—moosh]
fruit meyva [mayv*a*]
stewed fruit hoşaf
fry kızartmak [kuhzartm*a*k]
nothing fried kızarmış bir şey olmasın [—m*uh*sh beer shay olmas*uh*n]
frying pan tav*a*
fuel yakıt [yak*uh*t]
full dolu [dol*oo*]
fun: it's fun eğlenceli [ehlenjel*ee*]
funny *(strange)* gar*i*p
(comical) kom*i*k
furniture mob*i*lya
further dah*a* uzakt*a*
fuse sig*o*rta
fuss telaş [tel*a*sh]
future gelecek [—j*e*k]
in the future gelecekte [—t*eh*]
gale fırtına [fuhrtuhn*a*]
gallon
» *TRAVEL TIP: 1 gallon = 4.55 litres*
gallstone safrakesesi taşı [—s*ee* tash*uh*]
gamble kumar oynamak [koom*a*r —m*a*k]
gammon tütsülenmiş jambon [tewt-sewlenm*ee*sh ᴊambon]
garage *(repair)* tamirhane [tameerh*a*neh]
(petrol) benzin istasyonu [benz*ee*n —yon*oo*]
(parking) garaj [gar*a*ᴊ]

garden bahçe [bach*eh*]
garlic sarımsak [saruhms*a*k]
gas gaz [gahz]
(petrol) benzin
gas cylinder gaz tüpü [. . . tewp*ew*]
gasket conta [jonta]
gay *(homosexual)* homoseksüel [—sew-*e*l]
gear *(car)* vites [veet*e*s]
(equipment) aletler
gearbox trouble vites kutusu arızası [. . . kootoos*oo* aruhzas*uh*]
gear lever vites kolu [. . . kol*oo*]
I can't get it into gear vitese takamıyorum [—s*e*h tak*a*muhyoroom]
geçme yasağı *no overtaking*
gelis *arrival*
gents erkekler tuvaleti [—l*e*r toovalet*ee*]
gesture el hareketi [. . . hareh-ket*ee*]
» TRAVEL TIP: *Turks, like all Mediterranean people, use gestures widely for emphasis, so don't be shy about doing likewise and, if necessary, using mime to get your meaning across*
get: will you get me a . . .? bana bir . . . bulabilir misiniz? [. . .—beel*ee*r meeseen*ee*z]
how do I get to the ferry? feribota nasıl gidebilirim? [—t*a* nas*uh*l geedeb*ee*—]
when can I get it back? onu ne zaman geri alabilirim? [on*oo* neh zam*a*n ger*ee* alab*ee*—]
when do we get back? ne zaman döneceğiz? [. . . durnej*eh*-eez)
where do I get off? nerede inmem lazım? [n*e*redeh eenm*e*m laz*uh*m]
where do I get a bus for . . .? . . .-e otobüs nereden kalkıyor? [. . .-*eh* —bew*s* n*e*reden kalkuhyor]
have you got . . .? . . . var mı? [. . . muh]
giden yolcular salonu *departure lounge*
gin cin [jeen]
gin and tonic cintonik [—n*ee*k]

giriş *entrance*
girl kız [kuhz]
  my girlfriend kız arkadaşım [...—sh*uh*m]
girmek yasaktır *no admittance*
give verm*e*k
  will you give me ...? ban*a* ...-*i* ver*i*r misin*i*z?
  I gave it to him on*a* verd*i*m
glad memnun [memn*oo*n]
glandular fever gudde iltihabı [good-d*eh* —b*uh*]
glass cam [jahm]
  (drinking) bard*a*k
  a glass of water bir bardak su [... soo]
glasses gözlük [gurzl*ew*k]
glue zamk
go gitm*e*k
  I want to go to Bodrum B*o*drum'a gitm*e*k ist*i*yorum
  when does the bus go? otobüs ne zaman kalkacak [—b*ew*s neh zam*a*n kalkaj*a*k]
  it's/he's gone gitt*i*
  my car won't go arabam çalışmıyor [—b*a*m chal*uh*shmuhyor]
  can I have a go? bir deneyebil*i*r miy*i*m?
goal gol
goat keçi [kech*ee*]
  goat's cheese keçi peyniri [...—r*ee*]
god tanrı [—r*uh*]
goddess tanrıça [—ch*a*]
gold altın [alt*uh*n]
golf golf
good iyi [eey*ee*]
  good! iyi!
goodbye *(said by person leaving)* Allahaısmarladık [al*a*smaladuhk]
  (said by person staying behind) güle güle [gew*l*eh ...]
gramme gram [grahm]
» *TRAVEL TIP: 100 grammes = approx 3.5 oz*

granddaughter torun [tor*oo*n]
grandfather büyükbaba [bewy*ew*k—]
grandmother büyükanne [bewy*ew*k-anneh]
grandson torun [tor*oo*n]
grapefruit greypfrut [grayp-froot]
grapefruit juice greypfrut suyu [. . . sooy*oo*]
grapes üzüm [ewz*ew*m]
grass ot
grateful: I'm very grateful to you çok teşekkür ederim [chok teshekk*ew*r eder*ee*m]
gratitude şükran [shewkr*ah*n]
gravy sos
grease yağ [yah]
(for machinery) gres
greasy yağlı [yah-l*uh*]
great büyük [bew-y*ew*k]
great! mükemmel! [mewkem-m*e*l]
Greece Yunanistan [yoonaneest*a*n]
Greek *(noun)* Yunanlı [yoonanl*uh*]
(living in Turkey) Rum [room]
greedy açgözlü [*a*chgurzlew]
green yeşil [yesh*ee*l]
greengrocer's man*a*v
grey gri
grocer's bakk*a*l
ground yer
on the ground yerde [yehrd*eh*]
on the ground floor zem*i*n katt*a*
group grup [groop]
our group leader grup başkanımız [. . . bash-kanuhm*uh*z]
I'm with the English group ben İngiliz grubuylayım [. . . *ee*ngeeleez groo-booyla-y*uh*m]
guarantee garant*i*
is there a guarantee? bunun garantisi var mı? [bon*oo*n —s*ee* var muh]
guest misafir [mees*ah*-feer]
guesthouse pansiy*o*n
guide rehb*e*r

guilty suçlu [soochl*oo*]
guitar git*a*r
gum *(in mouth)* dişeti [deeshet*ee*]
Gümrük *Customs*
gun *(rifle)* tüfek [tewf*e*k]
(pistol) tabanca [—j*a*]
güney *south*
gynaecologist jinekolog [Jeenekol*o*g]
gypsy Çingene [cheengen*eh*]
hair saç [sach]
hairbrush saç fırçası [. . . fuhrchas*uh*]
where can I get a haircut? saçımı nerede kestirebilirim? [sach-uhm*uh* n*e*redeh —b*ee*—]
is there a hairdresser's here? burada bir berber var mı? [b*oo*— . . . muh]
hair grip saç tokası [. . .—s*uh*]
half yarım [yar*uh*m]
a half portion yarım porsiyon
half an hour yarım saat [saht]
ham jambon [Jamb*o*n]
hamburger hamburger [hamb*oo*rger]
hammer çekiç [chek*ee*ch]
hand el
handbag el çantası [. . . chantas*uh*]
handbrake el fren*i*
handkerchief mend*i*l
handle *(noun)* sap [sahp]
hand luggage el bagajı [. . .—J*uh*]
handmade el işi [. . . eesh*ee*]
handsome yakışıklı [yakuh-shuhkl*uh*]
hanger askı [ask*uh*]
hangover: I've got a terrible hangover dün akşamki içkiden müthiş başım ağrıyor [dewn akshamk*ee* eechkeed*e*n mewt-h*ee*sh bash*uh*m a-ruhyor]
my head is killing me baş ağrısından ölüyorum [bash a-ruhsuhnd*a*n url*e*wyoroom]
happen: I don't know how it happened nasıl oldu, bilmiyorum [nas*uh*l old*oo* b*ee*l—]

what's happening/happened? ne oluyor/ oldu? [neh olooyor/oldoo]
happy mutlu [mootloo]
harbour liman
hard sert
(difficult) zor
push hard sertçe itiniz [sertche eeteeneez]
hard-boiled egg lop yumurta [. . . yoomoorta]
hareket saati *departure time*
harm *(noun)* zarar
hat şapka [shapka]
hate: I hate . . . . . .-den nefret ederim
havalimanı *airport*
have *(possess)* sahip olmak
can I have . . .? bana verebilir misiniz [. . . verebeeleer meeseeneez]
I have no . . . . . .-m yok
do you have . . .? . . . var mı? [. . . muh]
I have to leave tomorrow yarın gitmek zorundayım [yaruhn gitmek zoroondayuhm]
hayfever saman nezlesi
he o
he is staying at Hotel . . . . . . Oteli'nde kalıyor [. . .—deh kaluhyor]
head baş [bash]
headache baş ağrısı [bash a-ruhsuh]
headlight far
head waiter baş garson [bash]
head wind karşıdan gelen rüzgâr [—shuhdan gelen rewzgar]
health sağlık [sa-luhk]
your health! sağlığınıza! [sa-luhuh-nuhza]
healthy sağlıklı [sa-luhkluh]
hear: I can't hear duyamıyorum [dooyamuhyoroom]
hearing aid işitme cihazı [eesheetmeh jeehazuh]
heart kalp
heart attack kalp krizi
heat sıcaklık [suhjakluhk]

heating ısıtma [uhsuhtm*a*]
heat stroke sıcak çarpması [suhj*a*k charpmas*uh*]
heavy ağır [a-*uh*r]
heel topuk [top*oo*k]
could you put new heels on these? bunların ökçelerini yeniler misiniz? [boonlar*uh*n urkchelereen*ee* —ler meeseen*ee*z]
height boy
(of buildings, mountains) yükseklik [yewksekl*ee*k]
hello merhaba; *(phone)* *a*lo
help *(noun)* yardım [yard*uh*m]
can you help me? ban*a* yardım ed*e*r misin*i*z?
help! imd*a*t!
her o
I like her ondan hoşlanıyorum [ond*a*n hoshlan*uh*yoroom]
with her onunla [onoonl*a*]
her *(possessive)* . . .-*i*, . . .-si; *(emphatic)* onun [on*oo*n]
her hotel (onun) oteli
it's hers bu onun
here burada [boo—]
come here buraya gelin [boo— gel*ee*n]
her gün *every day*
heyelan! *landslides!*
high yüksek [yewks*e*k]
hill tepe [tep*eh*]
him o
I don't know him onu tanımıyorum [on*oo* tan*uh*muhyoroom]
with him onunla [onoonl*a*]
hire *see* **rent**
his . . .-*i*, . . .-si; *(emphatic)* onun [on*oo*n]
his drink (onun) içkisi [. . . eechkees*ee*]
it's his bu onun
hit: he hit me bana vurdu [ban*a* voord*oo*]
hitch-hiking otostop
hitch-hiker otostopçu [—ch*oo*]

hold *(verb)* tutmak [tootm*a*k]
hole del*i*k
holiday t*a*til
I'm on holiday tatildey*i*m *see* **public**
home ev
I want to go home eve dönmek istiyorum [ev*eh* durnm*e*k eest*ee*yoroom]
at home evde [evd*eh*]
homesick: I'm homesick evimi özledim [—m*ee* urzled*ee*m]
honest dürüst [dewr*ew*st]
honestly? sahi mi? [sah*ee* mee]
honey bal
honeymoon balayı [b*a*la-yuh]
hookah nargile [nargeel*eh*]
hope umut [oom*oo*t]
I hope that . . . umut eder*i*m ki . . .
I hope so/I hope not inşallah/inşallah öyle değildir [eenshal-l*a*H . . . ur-l*eh* deh-*ee*ldeer]
horn *(car)* korna
horrible korkunç [—k*oo*nch]
hors d'oeuvre ordövr [ord*ur*vr]
horse at [aht]
hoş geldiniz *welcome*
» TRAVEL TIP: *the standard reply is: hoş bulduk [hosh . . .]*
hospital hastane [hast*a*neh]
» TRAVEL TIP: *the 'Amerikan Hastanesi' in Istanbul is not only well-equipped but also has English-speaking staff*
host ev sahib*i*
hostess ev sahibes*i*
(air) hostes
hot sıcak [suhj*a*k]
(spiced) acı [aj*uh*]
I'm hot sıcak bastı [. . . bast*uh*]
hotel ot*e*l
hour saat [saht]
house ev
housewife ev kadını [. . . kaduhn*uh*]

how nasıl [nas*uh*l]
how many kaç tane [kach t*a*neh]
how much ne kad*a*r [neh . . .]
how long ne kadar uzunlukta [. . . oozoonlookt*a*]
how often kaç kere [kach ker*eh*]
how long have you been here? ne zamandır buradasınız? [neh zam*a*nduhr booradasuhn*uhz*]
how are you? nasılsınız? [nas*uh*l-suhnuhz]
hull tekne [tekn*eh*]
humid neml*i*
humour miz*a*h
haven't you got a sense of humour? güldürü anlayışınız yok mu? [gewldewr*ew* —yuhshuhn*uh*z yok moo]
hundredweight
» *TRAVEL TIP: 1 cwt = 50.8 kilos*
hungry: I'm hungry/I'm not hungry acıktım/aç değilim [ajuhkt*uh*m/ach deh-*ee*leem]
hurry: I'm in a hurry acelem var [aj*e*lem . . .]
please hurry! lütfen acele edin [l*ew*tf*e*n aj*e*leh ed*ee*n]
hurt: it hurts acıyor [ajuhy*o*r]
my leg hurts bacağım acıyor [baja-*uh*m . . .]
husband: my husband kocam [koj*a*m]
I ben
I am English/I am a teacher İngilizim/öğretmenim [. . . *ee*ngeeleezeem/ur-retm*e*neem]
ice buz [booz]
iced coffee buzlu kahve [boozl*oo* kahv*eh*]
with lots of ice çok buzlu [chok . . .]
ice cream dondurma [dondoorm*a*]
identity papers kimlik belgeleri [keeml*ee*k —l*e*ree]
idiot apt*a*l
if eğer [eh-*e*r]
ignition *(car)* kont*a*k
ill hast*a*
I feel ill kendim*i* hasta hissed*i*yorum

illegal kanuna aykırı [kanoon*a* ɪ-kuhr*uh*]
illegible okunaksız [okoonasks*uhz*]
illness hastalık [—l*uh*k]
imdat çıkışı *emergency exit*
imdat freni *emergency brake*
immediately hemen [hehm*e*n]
import *(noun)* ithal malı [eet-h*a*l mal*uh*]
important önemli [urneml*ee*]
it's very important çok önemlidir [chok —deer]
import duty gümrük vergisi [gewmr*ew*k vergees*ee*]
impossible imkansız [eemkans*uh*z]
impressive etkileyici [—yeej*ee*]
improve dah*a* iy*i* olm*a*k
I want to improve my . . . . . .-m*i* ilerletm*e*k istiyorum
in: in England İngiltere'de [eengeelt*eh*rehdeh]
in my room odamd*a*
inch
» *TRAVEL TIP: 1 inch = 2.54 cm*
include dah*i*l etm*e*k
does that include breakfast? buna kahvaltı dahil mi? [boon*a* kahvalt*uh* . . .]
inclusive herşey dahil [hershay dah-*ee*l]
incompetent beceriksiz [bejereeks*ee*z]
inconsiderate düşüncesiz [dewshewn-jes*ee*z]
incontinent idrarını tutamayan [—ruhn*uh* toot*a*ma-yan]
incredible inanılmaz [—uhlm*a*z]
indecent edeps*i*z
independent bağımsız [ba-uhms*uh*z]
India Hindistan
Indian *(noun)* Hintl*i*
indicator siny*a*l
indigestion hazımsızlık [hazuhm-suhzl*uh*k]
indoors içerde [eecherd*eh*]
industry sanayi [san*a*-yee]
infection enfeksiyon

infectious bulaşıcı [boolashuhj*uh*]
inflation enflasy*o*n
informal fazl*a* resm*i* olmayan [. . . *o*lma-yan]
information bilg*i*
do you have any information in English about . . .? . . . hakkında İngilizce bilgi var mı? [hakkuhnd*a* eengeel*ee*zjeh . . . muh]
is there an information office? bir enformasyon bürosu var mı? [. . .—y*o*n bewros*oo* var muh]
inhabitant *(house)* ev sakinler*i*
(town/city) kasaba/şehir sakinleri [—b*a*/sheh*ee*r . . .]
injection enjeksiyon [enJekseey*o*n]
injured yaralı [—l*uh*]
he's been injured yaralandı [—d*uh*]
injury yar*a*
innocent masum [mas*oo*m]
insect böcek [burj*e*k]
insect repellent böcek kaçırıcı ilaç [burj*e*k kachuhruhj*uh* eel*a*ch]
inside içeride [eechereed*eh*]
insist: I insist israr ediyorum [eesr*a*r ed*ee*yoroom]
insomnia uykusuzluk [ooykoosoozl*oo*k]
instant coffee neskafe [neskaf*eh*]
instead, instead of . . . yerine, . . . yerine [yereen*eh*]
can I have that one instead? bunun yerine onu alabilir miyim? [boon*oo*n . . . on*oo* alabeel*ee*r meeyeem]
insulating tape izoleb*a*nt
insulation izolasy*o*n
insult hak*a*ret
insurance sig*o*rta
intelligent zek*i*
interesting ilginç [eelg*ee*nch]
international uluslararası [ooloosl*a*rarasuh]
interpreter tercüman [terjewm*a*n]

would you interpret for us? bizim için tercümanlık eder misiniz? [bezeem eecheen —luhk eder meeseeneez]
into içine [eecheeneh]
introduce: can I introduce ...? size ...-i tanıştırabilir miyim? [seezeh ... tanuhsh-tuhrabeeleer meeyeem]
invalid *(noun)* hasta
invalid chair tekerlekli iskemle [... eeskemleh]
invitation davet [dahvet]
thank you for the invitation davetiniz için teşekkür ederim [—neez eecheen teshekkewr edereem]
invite: can I invite you out? sizi bir yere davet edebilir miyim [seezee beer yereh ...—leer meeyeem]
Iran Iran [eeran]
Iraq Irak [uhrak]
Ireland İrlanda [eerlanda]
Irish *(noun)* İrlandalı [—luh]
iron *(noun: for clothes)* ütü [ewtew]
will you iron these for me? bunları benim için ütüler misiniz? [boonlaruh beneem eecheen ewtewler meeseeneez]
ironmonger's nalbur [nalboor]
Islam İslam [eeslam]
Islamic İslami [eeslamee]
island ada
it o
it is ... o ...-dir
Italian İtalyan [eetalyan]
Italy İtalya [eetalya]
itch kaşıntı [kashuhntuh]
it itches kaşınıyor [kashuhnuhyor]
itemize: would you itemize it for me? bunun bana tek tek bir dökümünü yapar mısınız? [boonoon bana ... durkewmewnew yapar muhsuhnuhz]
itfaiye *fire brigade*
itiniz *push*

jack *(car repair)* kr*i*koo
jacket ceket [jek*e*t]
jam reçel [rech*e*l]
  traffic jam trafik tıkanıklığı [—f*ee*k tuhka-nuhkluh-*uh*]
January Ocak [oj*a*k]
jaw çene [chen*eh*]
jealous kıskanç [kuhsk*a*nch]
jeans blucin [blooj*ee*n]
jellyfish denizanası [—s*uh*]
jetty iskele [eesk*e*leh]
jewellery mücevherat [mew-jevher*a*t]
jib üçgen yelken [ewchg*e*n yelk*e*n]
job iş [eesh]
  just the job tam uygun [. . . ooyg*oo*n]
joke *(noun)* şaka [shak*a*]
  you must be joking! şaka ediyorsunuz herhalde [. . . ed*ee*yorsoonooz h*e*rhaldeh]
journey yolculuk [yoljool*oo*k]
  have a good journey! iy*i* yolculukl*a*r!
July Temmuz [temm*oo*z]
jumper kaz*a*k
junction kavşak [kavsh*a*k]
June Haziran [hazeer*a*n]
junk çöp [churp]
just: just two sadece iki tane [s*a*dejeh eek*ee* t*a*neh]
  just there oracıkta [—juhkt*a*]
  not just now şimdi değil [sh*ee*mdee deh-*ee*l]
  just now beş dakika önce [besh dak*ee*ka *ur*njeh]
  that's just right tam uygun [. . . ooygoon]
kaç gecelik? *for how many nights?*
kaç kişilik *for how many people?*
kalkış *departure*
kambiyo *exchange*
kapalı *closed*
karakol *police station*
kasa *cash desk*

kaygan yol *slippery road*
KDV Katma Değer Vergisi *VAT*
kebab kebap
keen: I'm very keen to ... ...-*i* çok istiyorum [... chok eesteeyoroom]
I'm not keen pek istekli değilim [...—lee deh-eeleem]
keep: can I keep it? bende kalabilir mi? [bendeh ...]
you keep it sizde kalsın [—deh kalsuhn]
keep the change üstü kalsın [ewstew ...]
you didn't keep your promise sözünüzü tutmadınız [surzew-newzew tootmaduhnuhz]
kettle çaydanlık [chıdanluhk]
key anahtar
kidney böbrek [burbrek]
kill *(verb)* öldürmek [urldewrmek]
kilo kilo
» *TRAVEL TIP: conversion: kilos/5 × 11 = pounds*

kilos	*1*	*1.5*	*5*	*6*	*7*	*8*	*9*
pounds	*2.2*	*3.3*	*11*	*13.2*	*15.4*	*17.6*	*19.8*

kilometre kilometre [—metreh]
» *TRAVEL TIP: conversion: kilometres/8 × 5 = miles*

kilometres	*1*	*5*	*10*	*20*	*50*	*100*
miles	*0.62*	*3.11*	*6.2*	*12.4*	*31*	*62*

kind: that's very kind of you çok naziksiniz [chok —neez]
kiosk kulübe [koolewbeh]
kiss *(noun)* öpücük [urpewjewk]
kitchen mutfak [mootfak]
klima *air conditioning*
knee diz
knickers don
knife bıçak [buhchak]
knock *(verb)* vurmak [voormak]
there's a knocking noise from the engine motordan bir vurma sesi geliyor
know bilmek
I don't know bilmiyorum

koli *parcels*
koltuk *stalls*
köpek var *beware of the dog*
kredi kartı kabul edilmez *credit cards not accepted*
kuzey *north*
label *(noun)* etiket
laces *(shoe)* ayakkabı bağı [—buh ba-uh]
lacquer sprey [spray]
ladies *(toilet)* bayanlar [ba-yanlar]
lady bayan [ba-yan]
lager bira
lamb *(meat)* kuzu [koozoo]
lamp lamba
lamp-post lamba direği [. . . deereh-ee]
lampshade abajur [—joor]
land *(noun)* kara
lane *(on road)* şerit [shereet]
language dil
large büyük [bewyewk]
laryngitis larenjit [—jeet]
last *(final)* son
  last year/week geçen yıl/hafta [gechen yuhl . . .]
  last night dün gece [dewn gejeh]
  at last! nihayet! [neeha-yet]
late: sorry I'm late geciktiğim için özür dilerim [gejeektee-eem eecheen urzewr deelereem]
  it's a bit late biraz geç [beeraz gech]
  please hurry, I'm late lütfen acele edin, geç kaldım [lewtfen ajeleh edeen gech kalduhm]
  at the latest en geç
later daha sonra
  see you later görüşmek üzere [gur-rewshmek ewzereh]
latitude enlem
laugh *(verb)* gülmek [gewlmek]
lavatory tuvalet [toovalet]
law kanun [kanoon]
lawyer avukat [avookat]

laxative müshil [m*ew*s-heel]
lazy temb*e*l
leaf yapr*a*k
leak *(noun)* kaçak [kach*a*k]
  it leaks del*i*k
learn: I want to learn ... ...*-i* öğrenmek istiyorum [... ur-enm*e*k eest*ee*yoroom]
lease *(verb)* kiralam*a*k
least: not in the least hiç de değil [heech deh deh-*ee*l]
  at least en azından [... azuhnd*a*n]
leather der*i*
  this meat's like leather bu et çok sert [boo et chok ...]
leave: we're leaving tomorrow yarın gidiyoruz [yar*uh*n geed*ee*yorooz]
  when does the bus leave? otobüs ne zaman kalkıyor? [otob*ew*s neh zam*a*n kalkuhy*o*r]
  I left two shirts in my room odamda iki gömlek bırakmışım [—d*a* eek*ee* gurml*e*k buhrakm*uh*shuhm]
  can I leave this here? bunu burada bırakabilir miyim? [boon*oo* b*oo*rada buhrakabeel*ee*r meey*ee*m]
left sol
  on the left sold*a*
left-handed sol*a*k
left luggage *(office)* eman*e*t
leg bacak [baj*a*k]
legal yas*a*l
lemon lim*o*n
lemonade gaz*o*z
lend: will you lend me your ...? ...-iniz*i* ödünç verir misiniz? [... urd*ew*nch ver*ee*r meeseen*ee*z]
lengthen uzatmak [oozatm*a*k]
lens *(camera)* objektif [obJekt*ee*f]
less dah*a* az
  less than that ond*a*n daha az

let: let me help size yardım edeyim [seez*eh* yard*uh*m edey*ee*m]
let me go! bırak beni! [buhr*a*k ben*ee*]
will you let me off here? beni burada indirir misiniz? [ben*ee* b*oo*rada eendeer*ee*r meeseen*ee*z]
let's go gidel*i*m
letter mektup [mekt*oo*p]
are there any letters for me? bana mektup var mı? [ban*a* . . . muh]
letterbox mektup kutusu [. . . kootoos*oo*]
lettuce marul [mar*oo*l]
level crossing demiryolu geçidi [—yol*oo* gecheed*ee*]
library kütüphane [kewtewp-h*a*neh]
licence iz*i*n belges*i*
lid kap*a*k
lie *(noun)* yal*a*n
can he lie down for a bit? bir*a*z uzanabilir mi? [. . .—l*ee*r mee]
life hayat [ha-y*a*t]
life assurance hayat sigortası [. . .—s*uh*]
lifebelt, life jacket can simidi, can yeleği [jan seemeed*ee* . . . yeleh-*ee*]
lifeboat cankurtaran filikası [jankoortar*a*n —s*uh*]
life-guard cankurtar*a*n
lift: do you want a lift? sizi de götürebilir miyim? [. . . gurtew-rebeel*ee*r meey*ee*m]
could you give me a lift? beni de götürebilir misiniz? [ben*ee* deh —n*ee*z]
the lift isn't working asansör çalışmıyor [—s*ur* chal*uh*sh-muhyor]
light: the lights aren't working ışıklar yanmıyor [uhshuhkl*a*r y*a*nmuhyor]
have you got a light? ateşiniz var mı? [atesheen*ee*z var muh]
when it gets light hava ağarınca [hav*a* a-aruhnj*ah*]
(not heavy) hafif

light bulb ampul [ampool]
light meter pozometre [—metreh]
like: would you like ...? ... ister misiniz? [... meeseeneez]
I'd like a .../I'd like to ... bir ... istiyorum/ ... istiyorum [... eesteeyoroom]
I like it/you beğendim/sizden hoşlanıyorum [beh-endeem/seezden hoshlanuh-yoroom]
I don't like it hoşuma gitmiyor [hoshooma geet—]
what's it like? nasıl bir şey? [nasuhl beer shay]
do it like this bu şekilde yapın [boo shehkeeldeh yapuhn]
liman *harbour*
lime misket limonu [meesket leemonoo]
line çizgi [cheezgee]
(tel) hat [haht]
lip dudak [doodak]
lip salve dudak merhemi [...—mee]
lipstick ruj [rooJ]
liqueur likör [leekur]
list *(noun)* liste [leesteh]
listen! dinle! [—leh]
litre litre [leetreh]
» *TRAVEL TIP: 1 litre = 1.75 pints = 0.22 gals*
little küçük [kewchewk]
a little ice/a little more bir parça buz/biraz daha [—cha booz/beeraz daha]
just a little yalnız biraz [yalnuhz beeraz]
live yaşamak [yashamak]
I live in Glasgow Glasgow'da oturuyorum [... otoorooyoroom]
where do you live? nerede oturuyorsunuz? [neredeh —yorsoonooz]
liver karaciğer [—jee-er]
lizard kertenkele [kertenkeleh]
loaf somun [somoon]
lobster istakoz

local: could we try a local wine? yerel bir şarap deneyebilir miyiz? [... shar*a*p ...-l*ee*r meey*ee*z]
a local restaurant bu semtte bir lok*a*nta [boo semtt*eh* ...]
lock: the lock's broken kilit kırılmış [keel*ee*t kuhruhlm*uh*sh]
I've locked myself out dışarıda kaldım [duhsharuhd*a* kald*uh*m]
lonely yalnız [y*a*lnuhz]
long uzun [ooz*oo*n]
we'd like to stay longer dah*a* uzun kalm*a*k ist*i*yoruz
that was long ago o uzun zaman önceydi [... urnjayd*ee*]
longitude boyl*a*m
loo: where's the loo? tuvalet nerede? [toooval*e*t n*e*redeh]
look: you look tired yorgun görünüyorsunuz [yorg*oo*n gurewnew-y*o*rsoonooz]
I'm looking forward to ... ...-*i* iple çekiyorum [... eepl*eh* chek*ee*yoroom]
I'm looking for ... ...-*i* arıyorum [... ar*uh*yoroom]
look out! dikk*a*t!
loose gevşemiş [—shem*ee*sh]
lorry kamyon
lorry driver kamyon şoförü [... shofur-r*ew*]
lose kaybetmek [kɪ-betm*e*k]
I've lost my bag çantamı kaybettim [chantam*uh* —t*ee*m]
excuse me, I'm lost affedersiniz, yolumu kaybettim [*a*federseeneez yoloom*oo* ...]
lost property kayıp eşya [ka-y*uh*p eshy*a*]
lot: a lot/not a lot çok/o kad*a*r çok değil [chok ... deh-*ee*l]
a lot of chips/wine bol kızarmış patates/ şarap [... kuhzarm*uh*sh pat*a*tes/shar*a*p]
lots çok

lotion losyon
loud *(noise)* gürültülü [gewrewl-tewl*ew*]
(voice) yüksek sesle [yewks*e*k sesl*eh*]
louder dah*a* gürültülü/daha yüksek sesle
love: I love you sen*i* sev*i*yorum
do you love me? ben*i* sev*i*yor musun? [. . . moos*oo*n]
he's in love aşık [ahsh*uh*k]
I love this wine bu şarabı çok seviyorum [boo sharab*uh* chok . . .]
lovely çok güzel [chok gewz*e*l]
low alçak [alch*a*k]
luck şans [shans]
good luck! iy*i* şansl*a*r!
lucky şanslı [—l*uh*]
you're lucky şanslısınız [—luhsuhn*uh*z]
that's lucky! ne şans! [neh . . .]
luggage bagaj [bag*a*J]
lumbago lumbago [loomb*ah*go]
lump yumru [yoomr*oo*]
lunch öğle yemeği [url*eh* yem*eh*-ee]
lung akciğer [akjee-*e*r]
lütfen *please*
luxurious lüks [lewks]
luxury lüks [lewks]
macaroon acı badem [aj*uh* . . .]
mad del*i*
madam mad*a*m
made-to-measure ısmarlama [uhsmarlam*a*]
magazine dergi
magnificent şahane [sha-h*a*neh]
maiden name kızlık adı [kuhzl*uh*k ad*uh*]
mail post*a*
main road an*a* yol
make yapm*a*k
will we make it in time? vaktinde varacak mıyız? [—d*eh* varaj*a*k muhy*uh*z]
make-up makyaj [maky*a*J]
man ad*a*m

manager yönetici [yur-neteejee]
can I see the manager? yöneticiyle görüşmek istiyorum [. . . gur-rewshmek eesteeyo-room]
manicure manikür [—kewr]
manners terbiye [—beeyeh]
many çok [chok]
map harita
a map of Istanbul İstanbul şehir planı [. . . sheh-heer planuh]
March Mart
margarine margarin
marina yat limanı [. . .—nuh]
mark: there's a mark on it üzerinde bir leke var [ewzereendeh . . . lekeh . . .]
market pazar
market place pazar yeri
marmalade portakal reçeli [—kal rehchelee]
married evli
marry: will you marry me? benimle evlenir misin? [beneemleh . . .]
marvellous şahane [sha-haneh]
mascara rimel [reemel]
mashed potatoes patates püresi [. . . pewresee]
massage masaj [masaJ]
mast direk [deerek]
mat *(door)* paspas
(Turkish wrestling) minder [meender]
match kibrit
a box of matches bir kutu kibrit [. . . kootoo . . .]
football match futbol maçı [footbol machuh]
material kumaş [koomash]
matter: it doesn't matter önemli değil [urnemlee deh-eel]
what's the matter? ne var? [neh . . .]
mattress şilte [sheelteh]
mature olgun [olgoon]
maximum azami

May Mayıs [ma-*yuh*s]
may: may I have ...? ban*a* ... verebil*i*r misin*i*z?
maybe b*e*lki
mayonnaise mayonez [ma-yon*e*z]
me ben
can you hear me? beni duyabiliyor musunuz? [... dooyab*ee*leeyor moosoon*oo*z]
give it to me onu ban*a* ver*i*n [... on*oo* ...]
meal yem*e*k
mean: what does this mean? bu ne demek? [boo neh dem*e*k]
measles kızamık [kuhzam*uh*k]
German measles kızamıkçık [—ch*uh*k]
measurements ölçüler [urlchewl*e*r]
meat et
mechanic: is there a mechanic here? burada bir araba tamircisi var mı? [b*oo*rada ... tameerj*ee*see var muh]
medicine ilaç [eel*a*ch]
meet buluşmak [boolooshm*a*k]
pleased to meet you memnun oldum [memn*oo*n old*oo*m]
when can we meet again? bir daha ne zaman buluşabiliriz? [... dah*a* neh zam*a*n boolooshab*ee*leereez]
meeting toplantı [—t*uh*]
melon kavun [kav*oo*n]
member üye [ewy*eh*]
how do I become a member? nasıl üye olabilirim? [nas*uh*l ... olabeel*ee*reem]
men adaml*a*r
mend: can you mend this? bunu tamir edebilir misiniz? [boon*oo* tam*ee*r edebeel*ee*r meeseen*ee*z]
mention: don't mention it bir şey değil [... shay deh-*ee*l]
menu yem*e*k listes*i*; *see pages 70-72*
can I have the menu, please? yemek listesin*i* ver*i*r misin*i*z?

Mezeler ve Salatalar: Starters and Salads

midye dolması *stuffed mussels*
midye tavası *fried mussels*
rus salatası *Russian salad — mayonnaise, peas, carrots etc*
tarama *roe pâté*
Arnavut ciğeri *'Albanian' spicy fried liver with onions*
Çerkez tavuğu *'Circassian' cold chicken in walnut sauce with garlic*
fasulye piyazı *bean and onion salad*
kabak kızartması *fried marrows*
kısır *cracked wheat and paprika*
patlıcan salatası *aubergine purée*
karışık salata *mixed salad*
çoban salatası *mixed tomatoes, peppers, cucumbers and onion salad*

Et Yemekleri: Meat Dishes

döner kebab *lamb grilled on a spit and served in thin slices, usually with rice and salad*
şiş kebabı *small pieces of lamb grilled on skewers*
Adana kebabı *spicy hot meatballs*
Bursa/İskender kebabı *grilled lamb on pitta bread with tomato sauce and yoghurt*
patlıcan kebabı *roasted pieces of aubergine and meat*
çöp kebabı *small pieces of lamb baked on wooden spits*
talaş kebabı *lamb baked in pastry*
tandır kebabı *meat roasted in an oven*
kağıt kebabı *lamb and vegetables baked in paper*
tas kebabı *diced lamb with rice*
kuzu fırında *roast leg of lamb*
cızbız köfte *grilled meat rissoles*
salçalı köfte *meatballs in tomato sauce*
terbiyeli köfte *meatballs with egg and lemon sauce*
pirzola *lamb chops*
ciğer *liver*
karışık ızgara *mixed grill*

Kümes Hayvanları: Poultry
tavuk ızgara *barbecued chicken*
piliç *spring chicken*
bıldırcın *quail*

Balıklar ve Deniz Mahsülleri: Fish and Seafood
alabalık *trout*
burbunya *red mullet*
dil balığı *sole*
kalkan *turbot*
karagöz *black bream*
kefal *grey mullet*
kılıç (balığı) *swordfish*
levrek *sea bass*
lüfer *bluefish*
palamut *tunny*
tekir *striped mullet*
uskumru *mackerel*
karides *prawns*
pavurya *crab*
istakoz *lobster*
kalamar *squid*

Sebzeler: Vegetable Dishes
etli Ayşe kadın *meat with green beans*
etli biber dolması *peppers stuffed with rice and meat*
etli yaprak dolması *vine leaves stuffed with rice and meat*
etli kapuska *cabbage stew with meat*
etli kuru fasulye *lamb and haricot beans in tomato sauce*
imam bayıldı *split aubergine with tomatoes and onions, eaten cold with olive oil*
karnıyarık *split aubergine with meat filling*
kıymalı bamya *okra with minced meat*
kuru fasulye *haricot beans in tomato sauce*
türlü *meat and vegetable stew*

zeytinyağlı biber dolması *stuffed sweet peppers in olive oil*
zeytinyağlı enginar *artichokes in olive oil*
zeytinyağli yeşil fasulye *runner beans cooked in tomatoes and olive oil*

Tatılar: Desserts
baklava *pastry filled with nuts and syrup*
şekerpare *small cakes with syrup*
tel kadayıfı *shredded wheat stuffed with nuts in syrup*
helva *sweet usually made of cereals, nuts, sesame oil and honey*
irmik helvası *semolina 'helva'*
un helvası *flour 'helva'*
muhallebi *rice flour and rosewater pudding*
sütlaç *rice pudding*
supanglez *chocolate pudding*
karışık dondurma *mixed ice cream*
hoşaf *stewed fruit*
karpuz *watermelon*
kavun *honeydew melon*

İçecekler: Drinks
rakı *Turkish national drink — distilled from grape juice and aniseed-flavoured*
ayran *yoghurt drink*
maden suyu *mineral water*
menba suyu *spring water*

See also under **beer** and **wine**

mess karışıklık [karuh-shuhkl*uh*k]
message: are there any messages for me? bana mesaj bırakan oldu mu? [ban*a* mes*a*J buhrak*a*n old*oo* moo]
can I leave a message for ...? ... için bir mesaj bırakabilir miyim? [eech*ee*n ... buhrakabeel*ee*r meeyeem]
metre metre [m*e*treh]
» *TRAVEL TIP: 1 metre = 39.37 inches = 1.09 yds*
midday öğleyin [urlehy*ee*n]
middle ort*a*
in the middle ortad*a*
midnight gece yarısı [gej*eh* yaruhs*uh*]
might: I might be late gecikebilirim [gejeekeb*ee*leereem]
he might have gone gitmiş olabilir [geetm*ee*sh olab*ee*leer]
migraine migren [meegr*e*n]
mild haf*i*f
mile mil
» *TRAVEL TIP: conversion: miles/5 × 8 = kilometres*

miles	*0.5*	*1*	*3*	*5*	*10*	*50*	*100*
kilometres	*0.8*	*1.6*	*4.8*	*8*	*16*	*80*	*160*

milk süt [sewt]
a glass of milk bir bard*a*k süt
milkshake milkşeyk [—sh*a*yk]
milletlerarası *international*
millimetre milimetre [—metr*eh*]
milometer kilometre saati [—m*e*treh s*ah*tee]
minaret minare [meenar*eh*]
minced meat kıyma [kuhym*a*]
mind: I've changed my mind fikrimi değiştirdim [—m*ee* deh-eeshteerd*ee*m]
I don't mind ben*i*m için farketmez [... eech*ee*n farketm*e*z]
do you mind if I ...? ...-*i*n bir mahzuru var mı? [... mahzoor*oo* var muh]
never mind zar*a*r yok
mine benimk*i*

mineral water maden suyu [ma-d*e*n sooy*oo*]
minimum asgar*i*
minus eks*i*
minute dak*i*ka
  in a minute birazd*a*n
  just a minute bir dakika
mirror ayna [ɪn*a*]
Miss Bayan [ba-y*a*n]
miss: I miss you seni özledim [sen*ee* urzlede*e*m]
  he's missing kayıp [ka-y*uh*p]
  there is a . . . missing bir . . . eks*i*k
mist sis
mistake hat*a*
  I think you've made a mistake bir hata yaptığınızı sanıyorum [. . . yaptuh-huhnuhz*uh* san*uh*yoroom]
misunderstanding yanlış anlama [—l*uh*sh anlam*a*]
modern modern [mod*eh*rn]
Monday Paz*a*rtesi
money par*a*
  I've lost my money paramı kaybettim [—m*uh* kɪ-bett*ee*m]
month ay [ɪ]
moon ay [ɪ]
moorings bağlama yer*i* [ba-lam*a* . . .]
moped m*o*ped
more dah*a*
  can I have some more? bir*a*z daha alabilir miyim? [. . . alabeel*ee*r meeye*e*m]
  more wine, please daha şarap, lütfen [. . . shar*a*p l*ew*tfen]
  no more thanks bu kad*a*r yet*e*r teşekkürler [boo . . . teshekk*ew*rler]
  more comfortable daha rah*a*t
  more than . . . . . .-den daha fazl*a*
morning sabah [sab*a*H]
  good morning günaydın [gewn*ɪ*duhn]
  in the morning sabahleyin [sab*a*Hleh-yeen]

this morning bu sabah [boo . . .]
mosque cami [jam*ee*]
mosquito sivr*i*sinek
most: I like it the most en çok ondan hoşlanıyorum [en chok ond*a*n hoshlan*uh*yoroom]
most of the time/the people çoğunlukla/çoğunluk [choh-oonl*oo*kla . . .]
mother: my mother ann*e*m
motor mot*o*r
motorbike motosikl*e*t
motorboat deniz motoru [den*ee*z motor*oo*]
motorcyclist motosikletçi [—ch*ee*]
motorist otomobil sürücüsü [. . . sewrewjews*ew*]
motorway otoy*o*l
mountain dağ [da]
mouse fare [far*eh*]
moustache bıyık [buhy*uh*k]
mouth ağız [a-*uh*z]
mouth-watering ağız sulandırıcı [. . . soolanduhruhj*uh*]
move: don't move kımıldamayın [kuhmuhld*a*ma-yuhn]
could you move your car? arabanızı oradan alır mısınız? [—nuhz*uh* orad*a*n al*uh*r muhsuhn*uh*z]
Mr Bay [bı]
Mrs Bayan [ba-y*a*n]
Ms Bayan [ba-y*a*n]
much çok [chok]
much better/much more çok dah*a* iy*i*/çok daha fazl*a*
not much çok değil [. . . deh-*ee*l]
müdür *manager*
mug: I've been mugged saldırıya uğradım [salduhruhy*a* oorad*uh*m]
mum anne [ann*eh*]
muscle kas
museum müze [mewz*eh*]
mushroom mant*a*r

music müzik [mewz*ee*k]
must: I must have ... bana ... lazım [ban*a* ... laz*uh*m]
I must not eat ... ... *ye*memem lazım
you must ... ...-mel*i*sin
must I ...? ...-mel*i* miy*i*m?
mustard hard*a*l
my ...-im, ...-m; *(emphatic)* ben*i*m ...
my hotel (benim) otel*i*m
nail *(finger)* tırnak [tuhrn*a*k]
(wood) çivi [cheev*ee*]
nail clippers tırnak kesicisi [... keseejees*ee*]
nail file tırnak törpüsü [... turpews*ew*]
nail polish oje [o*Jeh*]
nail scissors tırnak makası [... makas*uh*]
naked çıplak [chuhpl*a*k]
name ad
my name is ... adım ... [ad*uh*m ...]
what's your name? adınız nedir? [aduhn*uh*z n*e*deer]
napkin peçete [pech*e*teh]
nappy beb*e*k bez*i*
narrow dar
national mill*i*
nationality milliy*e*t
natural doğal [doh-*a*l]
naughty: don't be naughty yaramazlık yapma [—l*uh*k y*a*pma]
near: is it near? yakın mı? [yak*uh*n muh]
near here buraya yakın [b*oo*ra-ya ...]
do you go near ...? ...-n*i*n yakınından geçecek misiniz? [...—uhnd*a*n gechej*e*k meeseen*ee*z]
where's the nearest ...? en yakın ... nerede? [... n*e*redeh]
nearly neredeyse [n*e*redayseh]
neat *(drink)* sek
necessary gerekl*i*
it's not necessary ger*e*k yok

neck boyun [boy*oo*n]
necklace kolye [k*o*lyeh]
need: I need a ... bir ...-e ihtiyacım var [......-*eh* eeHteeyaj*uh*m ...]
needle iğne [een*eh*]
neighbour komşu [komsh*oo*]
neither: neither of them hiç biri [heech beer*ee*]
neither ... nor ... ne ... ne ... [neh ...]
neither do I ben de [... deh]
nephew: my nephew yeğenim [yeh-en*ee*m]
nervous sinirl*i*
net *(fishing)* ağ [ah]
(hair) file [feel*eh*]
never hiçbir zaman [h*ee*chbeer zam*a*n]
never! *a*sla!
well I never! bak sen!
new yen*i*
New Year Yeni Yıl [... yuhl]
New Year's Eve Yılbaşı Gecesi [—bash*uh* gejes*ee*]
Happy New Year Yeni Yılınız Kutlu Olsun [... yuhluhn*uh*z kootloo olsoon]
» *TRAVEL TIP: Turks celebrate the New Year instead of Christmas; if invited to a New Year's party take a cake or a bottle; personal presents are not expected, but are also acceptable*
news haber
newsagent gazete bayii [gaz*e*teh ba-yee-*ee*]
newspaper gazete [gaz*e*teh]
do you have any English newspapers? Ingilizce gazete var mı? [eengeel*ee*zjeh ... muh]
New Zealand Yen*i* Zel*a*nda
New Zealander Yeni Zelandalı [—l*uh*]
next bir sonraki
please stop at the next corner lütfen bir sonraki köşede durun [l*ew*tfen ... kurshehd*eh* d*oo*roon]
see you next year seneye görüşürüz [seney*eh* gur-rewshewr*ew*z]

next week/next Tuesday gelecek hafta/ gelecek Salı [gelejek hafta ... saluh]
sit next to me yanıma otur [yanuhma otoor]
nice hoş [hosh]
niece: my niece yeğenim [yeh-eneem]
night gece [gejeh]
good night iyi geceler
at night geceleyin
night porter gece bekçisi [... bekcheesee]
is there a good night club here? burada iyi bir gece kulübü var mı? [boorada ... koolewbew var muh]
night-life gece hayatı [... ha-yatuh]
no hayır [ha-yuhr]
there's no water su yok [soo ...]
I've no money hiç param yok [heech ...]
no way! katiyen olmaz
nobody hiç kimse [heech keemseh]
nobody saw it hiç kimse görmedi [... gurmedee]
noisy gürültülü [gewrewl-tewlew]
our room is too noisy odamız fazla gürültülü [odamuhz fazla ...]
none hiç [heech]
none of them hiç biri [... beeree]
nonsense saçma [sachma]
normal normal [normahl]
north kuzey [koozay]
Northern Ireland Kuzey İrlanda [koozay eerlanda]
nose burun [booroon]
nosebleed burun kanaması [...—suh]
not değil [deh-eel]
not that one o değil
not me/you ben/sen değil
not here/there burada/orada değil [boorada/o—...]
I'm not hungry aç değilim [ach deh-eeleem]
I don't want to ... ... istemiyorum

he didn't tell me bana söylemedi [. . . surlemedee]
NOTE: I want to . . . . . . *istiyorum*
he told me *bana söyledi*
note *(bank note)* kâğıt para [ka-uht para]
nothing hiç bir şey [heech beer shay]
November Kasım [kasuhm]
now şimdi [sheemdee]
nowhere hiçbir yer [heechbeer . . .]
nudist: nudist beach çıplaklar plajı [chuhplaklar plaJuh]
nudist camp çıplaklar kampı [. . . kampuh]
nuisance: it's a nuisance bu bir bela [boo beer bela]
this man's being a nuisance bu adam beni rahatsız ediyor [. . . rahatsuhz . . .]
numb uyuşuk [ooyooshook]
number sayı [sa-yuh]
number plate plaka
nurse hasta bakıcı [hasta bakuhjuh]
nut fıstık [fuhstuhk]
(for bolt) somun [somoon]
oar kürek [kewrek]
obligatory mecburi [mejbooree]
obviously besbelli
occasionally bazen
occupied *(room)* dolu [doloo]
(toilet) meşgul [meshgool]
is this seat occupied? burada oturan var mı? [boorada otooran var muh]
o'clock: 3 o'clock saat 3 [saht]; *see* **time**
October Ekim
octopus ahtapot [aHtapot]
odd *(number)* tek
(strange) acayip [aja-yeep]
of . . .-in
the name of the hotel otelin adı [—een aduh]
off: the milk/meat is off süt bozulmuş/et bozulmuş [sewt bozoolmoosh . . .]

it just came off çıkıverdi [chuhk*uh*verdee]
10% off 10% indir*i*m
offence *(legal)* suç [sooch]
office büro [b*ew*ro]
officer *(to policeman)* memur bey [memoor bay]
official *(noun)* görevli [gur-revl*ee*]
often sık sık [suhk . . .]
not often nadiren [n*a*deeren]
oil yağ [ya]
will you change the oil? yağı değiştirir misiniz? [ya-*uh* deh-eesh-teereer meeseeneez]
ointment merh*e*m
OK tam*a*m
old *(person)* yaşlı [yashl*uh*]
(thing) eski
how old are you? kaç yaşındasınız? [kach yashuhd*a*-suhnuhz]
I am 25 25 yaşındayım [—d*a*-yuhm]
olive zeytin [zayt*ee*n]
olive oil zeytin yağı [. . . ya-*uh*]
omelette omlet
on üstünde [ewstewnd*eh*]
on the bar barın üstünde [bar*uh*n . . .]
I haven't got it on me üstümde değil [—d*eh* deh-*ee*l]
on Friday Cuma günü [jooma gewn*ew*]
on television televizyond*a*
once bir kere [. . . ker*eh*]
at once derhal
önden binilir *entrance at the front*
one bir
the red one kırmızı olan [kuhrm*uh*zuh ol*a*n]
onion soğan [soh-*a*n]
only yalnız [y*a*lnuhz]
open *(adjective)* açık [ach*uh*k]
I can't open it açamıyorum [ach*a*-muhyoroom]
when do you open? saat kaçta açıyorsunuz? [saht k*a*chta ach*uh*-yorsoonooz]

opera op*e*ra
operation ameliy*a*t
will I need an operation? ameliyat olm*a*m gerekecek mi? [—j*e*k mee]
operator santr*a*l memuru [. . . memooro*o*]
opposite: opposite the hotel otelin karşısında [—l*ee*n karshuh-suhnd*a*]
optician gözlükçü [gurzlewkch*ew*]
or veya [veh-y*a*]
orange *(fruit)* portak*a*l
(colour) turuncu [tooroonjo*o*]
orange juice portakal suyu [. . . sooyo*o*]
order: could we order now? yemekleri şimdi söyleyebilir miyiz? [—r*ee* sh*ee*mdee suryle-yebeel*ee*r meeye*e*z]
thank you, we've already ordered mers*i*, yemekler*i* söyled*i*k
other: the other one öbürü [urbewr*ew*]
do you have any others? başka var mı? [bashk*a* var muh]
otherwise öbür türlü [urb*ew*r tewrl*ew*]
otobüs durağı *bus stop*
otopark *car park*
otoyol *motorway*
ounce
» *TRAVEL TIP: 1 ounce = 28.35 grammes*
our . . .-im*i*z, . . .-m*i*z; *(emphatic)* biz*i*m
our hotel (bizim) otelimiz
that's ours bizim
out: we're out of petrol benzinim*i*z bitt*i*
get out! d*e*fol!
outboard dıştan takma [duhsht*a*n takm*a*]
outdoors açık havada [ach*uh*k havad*a*]
outside: can we sit outside? dışarda oturabilir miyiz? [duhshard*a* otoorabeel*ee*r meeye*e*z]
over: over here/there burada/orada [boorada/*o*—]
over 40 40-dan fazl*a*
it's all over herşey bitt*i* [he*h*rshay . . .]

overboard: man overboard! denize düşen var! [—*zeh* dewshen . . .]
overcharge: you've overcharged me benden fazla para aldınız [. . . alduhn*uh*z]
overcooked fazla pişmiş [. . . peeshm*ee*sh]
overexposed fazla ışık verilmiş [. . . uhsh*uh*k vereelm*ee*sh]
overnight *(stay, travel)* gece [gej*eh*]
oversleep vaktinde uyanmamak [—*deh* ooy*a*n—]
I overslept vaktinde uyanmadım [. . . ooy*a*nmaduhm]
overtake geçmek [gechm*e*k]
owe: what do I owe you? size borcum ne kadar? [seez*eh* borj*oo*m neh kad*a*r]
own: my own . . . ben*i*m kend*i* . . .-m
are you on your own? tek başına mısınız? [. . . bashuhn*a* muhsuhn*uh*z]
I'm on my own tek başınayım [. . .—y*uh*m]
owner mal sahibi [. . .—b*ee*]
oxygen oksijen [—J*e*n]
oyster istiridye [eesteer*ee*dyeh]
pack: I haven't packed yet dah*a* valizim*i* yapmadım [. . . y*a*pmaduhm]
can I have a packed lunch? ban*a* bir pikn*i*k yemeği verebilir misiniz? [. . . yemeh-*ee* verebeel*ee*r meeseen*ee*z]
package tour pak*e*t tat*i*l
page *(of book)* sayfa [sɪf*a*]
could you page him? onu çağırtabilir misiniz? [onoo cha-uhr-tabeel*ee*r meeseen*ee*z]
pain acı [aj*uh*]
I've got a pain in my chest göğsüm ağrıyor [gurs*ew*m a-ruhyor]
pain-killers ağrı giderici ilaçlar [a-r*uh* geedereej*ee* eelachl*a*r]
painting res*i*m
Pakistan Pakist*a*n
Pakistani Pakistanlı [—l*uh*]
pale solgun [solg*oo*n]

pancake gözleme [gurzlem*eh*]
panties külot [kewlot]
pants pantalon
(underpants) don
paper kâğıt [k*a*-uht]
(newspaper) gazete [gazeteh]
parcel paket
pardon? *(didn't understand)* efendim?
I beg your pardon *(sorry)* özür dilerim [urzewr deelereem]
parents: my parents annem ve babam
park park
where can I park my car? arabamı nereye park edebilirim? [—m*uh* nereyeh . . . edebeeleereem]
park yapılmaz *no parking*
part parça [parch*a*]
partner *(boyfriend, girlfriend etc)* arkadaş [—dash]
(business) ortak
party *(group)* grup [groop]
(celebration) parti
I'm with the . . . party ben . . . gruplayım [. . .–layuhm]
pass *(mountain)* geçit [gecheet]
he's passed out bayıldı [bayuhld*uh*]
passable *(road)* geçilebilir [gecheelebeeleer]
passenger yolcu [yoljoo]
passer-by yoldan geçen [. . . gechen]
passport pasaport
past: in the past geçmişte [gechmeesht*eh*]
see **time**
pastry hamur işi [hamoor eeshee]
(cake) kek
(with icing, cream etc) pasta
path patika
patient: be patient sabırlı olun [sabuhrl*uh* oloon]
pattern örnek [urnek]

pavement kaldırım [kalduhr*uh*m]
pay ödemek [urdem*e*k]
can I pay, please? lütfen, ben ödeyebilir miyim? [l*ew*tfen ben urdeh-yebeel*ee*r meeyeem]
» *TRAVEL TIP: Turks consider it polite to insist on paying; if you actually intend to pay, you may have to wrest the bill from your companion*
peace *(calm)* huzur [hoozoor]
(not war) barış [bar*uh*sh]
peach şeftali [sheftal*ee*]
peanuts yerfıstığı [yerfuhstuh-*uh*]
pear armut [arm*oo*t]
peas bezelye [bez*e*lyeh]
pebble çakıl taşı [chak*uh*l tash*uh*]
pedal ped*a*l
pedestrian yaya [ya-y*a*]
pedestrian crossing yaya geçidi [ya-y*a* gecheed*ee*]
» *TRAVEL TIP: decorative rather than functional; don't expect cars actually to stop; wait till irate locals step out as a group and stop the traffic, then cross with them*
peg *(for washing)* mand*a*l
(for tent) kazık (kaz*uh*k]
pelvis leğen kemiği [leh-*e*n kemee-*ee*]
pen mürekkepli kalem [mewrek-kepl*ee* kal*e*m]
have you got a pen? kaleminiz var mı? [—n*ee*z var muh]
pencil kurşun kalem [koorsh*oo*n kal*e*m]
penfriend mektup arkadaşı [mektoop —sh*uh*]
penicillin penisil*i*n
penknife çakı [chak*uh*]
pensioner emekl*i*
people insanl*a*r
the Turkish people Türk halkı [tewrk halk*uh*]
pepper bib*e*r
peppermint nane şekeri [nan*eh* sheker*ee*]

per: per night/week/person bir gecesi/ haftası/kişi [. . .—*see*/—*suh*/—shee]
per cent yüzde [yewzd*eh*]
perfect mükemmel [mewkemm*e*l]
the perfect holiday en mükemmel tat*i*l
perfume parfüm [parf*ew*m]
perhaps b*e*lki
period *(of time)* süre [sewr*eh*]
(menstruation) aybaşı [*I*bashuh]
perm p*e*rma
permit *(noun)* izin [eez*ee*n]
peron *platform*
person kişi [keesh*ee*]
in person şahsen [sh*a*Hsen]
personal stereo Walkm*a*n
petrol benzin [benz*ee*n]
petrol station benzin istasyonu [benz*ee*n . . .—yon*oo*]
» *TRAVEL TIP: 'süper' = 4 star; 'normal' = 2 star*
photograph fotoğraf [fotohr*a*f]
would you take a photograph of us? bir fotoğrafımızı çeker misiniz? [. . .—uhmuhz*uh* chek*e*r meeseen*ee*z]
piano piy*a*no
pickpocket yankesici [—seej*ee*]
picture res*i*m
pie *(meat)* etli börek [etl*ee* bur-r*e*k]
(fruit) turta [t*oo*rta]
piece parça [parch*a*]
a piece of . . . bir parça . . .
pig domuz [dom*oo*z]
pigeon güvercin [gew-verj*ee*n]
pile-up zincirleme kaza [zeenjeerlem*eh* kaz*a*]
pill hap [hahp]
are you on the pill? doğum kontrol hapı alıyor musunuz? [doh-*oo*m kontr*o*l hahp*uh* aluhy*o*r moosoon*oo*z]
pillion: to ride pillion arkada oturmak [—d*a* otoorm*a*k]

pillow yastık [yast*uh*k]
pin toplu iğne [topl*oo* een*eh*]
pineapple an*a*nas
pint
» *TRAVEL TIP: 1 pint = 0.57 litres*
pipe boru [bor*oo*]; *(to smoke)* p*i*po
pipe tobacco pipo tütünü [. . . tewtewn*ew*]
pistachio antep fıstığı [ant*e*p fuhst*uh*-uh]
piston pist*o*n
pity: it's a pity yazık [yaz*uh*k]
place yer
is this place taken? bu yer*i*n sahibi var mı? [boo . . . saheeb*ee* var muh]
do you know any good places to go? gidecek iy*i* yerl*e*r bil*i*yor musunuz? [geedej*e*k . . . moosoonooz]
plain *(not patterned)* düz [dewz]
plain food sade yemek [sahd*eh* yem*e*k]
plaj *beach*
plane uçak [ooch*a*k]
by plane uçakla [ooch*a*kla]
plant bitk*i*
plaster *(medical)* alçı [alch*uh*]
see **sticking**
plastic plast*i*k
plastic bag naylon torba [n*I*lon torb*a*]
plate tab*a*k
platform *(station)* per*o*n
which platform please? hangi peron lütfen? [h*a*ngee . . . l*ew*tfen]
play oynam*a*k
(theatre) oyun [oy*oo*n]
pleasant hoş [hosh]
please: could you please . . .? lütfen . . .-misiniz? [l*ew*tfen . . .-meeseen*ee*z]
(yes) please lütfen
pleasure zevk
it's a pleasure benim için bir zevk [ben*ee*m ech*ee*n . . .]

plenty: plenty of ... bol bol ...
thank you, that's plenty teşekkür ederim, yeter [teshekk*ew*r eder*ee*m yet*e*r]
pliers kerpet*e*n
plonk *(wine)* şarap [shar*a*p]
plug *(electrical)* fiş [feesh]
(car) buji [booJee]
(sink) tıkaç [tuhk*a*ch]
» TRAVEL TIP: *standard continental 2-pin plugs are used in Turkey so an adaptor plug will be necessary for British appliances*
plum er*i*k
plumber muslukçu [mooslookch*oo*]
plus artı [art*uh*]
pneumonia zatürree [zatewr-r*eh*]
poached egg kaynar suya kırılmış yumurta [kIn*a*r sooy*a* kuhruhlm*uh*sh yoomoort*a*]
pocket cep [jep]
point: could you point to it? onu parmağınızla gösterebilir misiniz? [on*oo* parma-uh-n*uh*zla gursterebeel*ee*r meeseen*ee*z]
four point six dört virgül altı [durt veerg*ew*l alt*uh*]
points *(car)* kesici platinler [—j*ee* —l*e*r]
police pol*i*s
get the police pol*i*s çağırın [... cha-*uh*ruhn]
» TRAVEL TIP: *dial 055 or check to see if there is a local number*
policeman pol*i*s
police station pol*i*s karakolu [...—l*oo*]
polish *(noun)* cila [jeel*a*]
will you polish my shoes? ayakkabılarımı boyar mısınız? [—buhlaruhm*uh* boy*a*r muhsuhn*uh*z]
polite nazik [naz*ee*k]
politics polit*i*ka
polluted kirl*i*
polythene bag naylon torba [nIlon torb*a*]
pool *(swimming)* havuz [hav*oo*z]

poor: I'm very poor çok fakirim [chok fakeereem]
poor quality kötü kalite [kurt*ew* kaleet*eh*]
popular sevi*l*en
population nüfus [newf*oo*s]
pork domuz eti [dom*oo*z et*ee*]
port lim*a*n
(drink) porto şarabı [. . . sharab*uh*]
to port iskele tarafında [eesk*e*leh —fuhnd*a*]
porter *(in hotel)* kapıcı [kapuhj*uh*]
(at station etc) ham*a*l
portrait portre [p*o*rtreh]
posh *(hotel etc)* lüks [lewks]
possible mümkün [mewmk*ew*n]
could you possibly . . .? . . .-iniz mümkün mü? [. . . mew]
post post*a*
postcard kartpost*a*l
post office postane [post*a*neh]
» *TRAVEL TIP: post offices display a yellow 'PTT' sign and in the major cities and resorts are open from 8 a.m. till late at night*
poste restante postrest*a*nt
potato pat*a*tes
pottery çanak çömlek [chan*a*k churml*e*k]
pound libre [l*ee*breh]
(money) sterl*i*n
» *TRAVEL TIP: conversion: pounds/11 × 5 = kilos*

pounds	*1*	*3*	*5*	*6*	*7*	*8*	*9*
kilos	*0.45*	*1.4*	*2.3*	*2.7*	*3.2*	*3.6*	*4.1*

pour: it's pouring bardaktan boşanırcasına yağıyor [—t*a*n boshan*uh*r-jasuhna ya-uhy*o*r]
powder pudra [p*oo*dra]
power cut elektr*i*k kesilmes*i*
power point priz
prawns kar*i*des
prefer: I prefer this one bunu tercih ediyorum [boon*oo* terj*ee*H ed*ee*yoroom]
pregnant gebe [geb*eh*]

prescription reçete [rech*e*teh]
present: at present şu anda [shoo and*a*]
here's a present for you size bir hediye [seez*eh* beer hedeey*eh*]
president *(of country)* cumhurbaşkanı [joomhoor-bashkan*uh*]
press: could you press these? bunları ütüler misiniz? [boonlar*uh* ewtewl*e*r meeseen*ee*z]
pretty güzel [gewz*e*l]
pretty good oldukça iyi [old*oo*kcha eey*ee*]
price fiy*a*t
priest rah*i*p
printed matter matbua [matboo-*a*]
prison hapishane [—h*a*neh]
private özel [urz*e*l]
probably muhtemelen [mooHt*e*melen]
problem probl*e*m
product ürün [ewr*ew*n]
profit kâr
promise: do you promise? söz veriyor musunuz? [surz vereeyor moosoon*oo*z]
I promise söz veriyorum [. . . ver*ee*yoroom]
pronounce telaffuz etmek [—f*oo*z etm*e*k]
how do you pronounce this? bu nasıl telaffuz edilir? [boo n*a*suhl . . . edeel*ee*r]
propeller pervane [pervan*eh*]
properly hakkıyla [hakk*uh*yla]
property mal
prostitute fahişe [faheesh*eh*]
protect korumak [koroom*a*k]
protection factor koruma faktörü [koroom*a* fakt*ur*ew]
Protestant Protest*a*n
proud gururlu [gooroorl*oo*]
prove: I can prove it isp*a*t edebil*i*rim
public: the public halk
public convenience umumi hela [oomoom*ee* hehl*a*]
» *TRAVEL TIP: very few of these; if you manage to*

find one, and it has an attendant, a small tip will be expected

public holiday umumi tatil [oomoomee *ta*teel]

» TRAVEL TIP: *public holidays: January 1st (Yılbaşı); April 23rd (Çocuk Bayramı); May 19th (Gençlik ve Spor Bayramı); August 30th (Zafer Bayramı); October 29th (Cumhuriyet Bayramı); Şeker Bayramı and Kurban Bayramı, religious holidays of three and four days' duration respectively, are based on the Arabic calendar and therefore occur at a different time every year — when they fall in spring or summer, independent travellers may have difficulty finding a room in resorts near big cities*

pudding sütlü tatlı [sewtl*ew* tatl*uh*]

pull *(verb)* çekmek [chekm*e*k]

he pulled out in front of me arabayla önüme çıktı [arab*I*la urnewm*eh* chuhkt*uh*]

pump pompa

punctual: he's very punctual cok dakiktir [chok dak*ee*kteer]

puncture lastik patlaması [last*ee*k patlamas*uh*]

pure saf

purple eflatun [eflat*oo*n]

purse par*a* çantası [. . . chantas*uh*]

push *(verb)* itmek

don't push itmeyin [*ee*tmeh-yeen]

push-chair puset [poos*e*t]

put: where can I put . . .? . . .-*i* nereye koyabil*i*rim? [. . . nereyeh . . .]

pyjamas pijama [pee*J*ama]

quality kalite [kaleet*eh*]

quarantine karantin*a*

quarter çeyrek [chayr*e*k]

a quarter of an hour çeyrek saat [. . . saht]

quay rıhtım [ruht*uh*m]

question soru [sor*oo*]

queue *(noun)* kuyruk [kooyrook]

» TRAVEL TIP: *don't expect queues to be very orderly*

quick çabuk [chab*oo*k]
quiet sak*i*n
be quiet! gürültü yapmayın! [gewrewlt*ew* *ya*pma-yuhn]
quite tam
(fairly) oldukça [old*oo*kcha]
quite a lot oldukça çok [... chok]
radiator *(car, heater)* radyatör [—t*ur*]
radio *ra*dyo
rail: by rail trenle [tr*e*nleh]
rain yağmur [ya-m*oo*r]
it's raining yağmur yağıyor [... ya-uhy*o*r]
raincoat yağmurluk [ya-moorl*oo*k]
rally *(car)* *ra*li
rape ırza geçme [uhrz*a* gechm*eh*]
rare nadide [nadeed*eh*]
(steak) az pişmiş [... peeshm*ee*sh]
raspberry ahududu [ah*oo*doodoo]
rat sıçan [suhch*a*n]
rather: I'd rather sit here burada oturmayı tercih ederim [b*oo*rada otoorma-*yuh* terj*ee*H ed*e*reem]
I'd rather not bunu yapmamayı tercih ederim [boon*oo* *ya*pmama-yuh ...]
it's rather hot epeyi sıcak [*e*payee suhj*a*k]
raw çiğ [chee]
razor *(dry)* ustura [oostoor*a*]
(electric) elektrikli tıraş makinesi [—l*ee* tuhr*a*sh makeenes*ee*]
razor blades jilet [Jeel*e*t]
read: you read it siz okuyun [... ok*oo*yoon]
something to read okuyacak bir şey [okooyaj*a*k beer shay]
ready: when will it be ready? ne zaman hazır olur? [neh zam*a*n haz*uh*r ol*oo*r]
I'm not ready yet dah*a* hazır değilim [... deh-*ee*leem]
real gerçek [gerch*e*k]
really gerçekten [g*e*r—]

rear-view mirror dikiz aynası [deek*ee*z ɪnas*uh*]
reasonable makul [mak*oo*l]
receipt makbuz [makb*oo*z]
can I have a receipt please? makbuz rica edebilir miyim? [. . . reej*a* edebeel*ee*r meey*ee*m]
recently yakında [yakuhnd*a*]
reception *(hotel)* resepsiyon
(for guests) davet [dahv*e*t]
at reception resepsiyond*a*
receptionist resepsiyoncu [—j*oo*]
recipe yem*e*k tarif*i*
recommend: can you recommend . . .?
. . .-*i* tavsiye ed*e*r misin*i*z? [. . . tavseey*eh* . . .]
record *(music)* plak
red kırmızı [kuhrmuhz*uh*]
reduction *(in price)* indir*i*m
refuse: I refuse reddedi*y*orum
region bölge [burlg*eh*]
in this region bu bölgede [boo —d*eh*]
registered letter taahhütlü mektup [—hewtl*ew* mekt*oo*p]
regret: I have no regrets hiçbir şeye pişman değilim [h*ee*chbeer shay*eh* peeshm*a*n deh-*ee*leem]
relax: I just want to relax sadece dinlenmek istiyorum [s*ah*dejeh deenlenm*e*k eest*ee*yoroom]
relax! sakin olun [sak*ee*n *o*loon]
remember: don't you remember? hatırlamıyor musunuz? [hatuhrl*a*muhyor moosoon*oo*z]
I'll always remember . . . . . .-*i* hep hatırlıyacağım [. . .—luhyaj*a*-uhm]
something to remember you by ban*a* sizi hatırlatacak bir şey [. . .—j*a*k bir shay]
rent: can I rent a car/boat/bicycle? bir arab*a*/sand*a*l/bisikl*e*t kiralayabil*i*r miy*i*m?
repair: can you repair it? tam*i*r edebil*i*r misin*i*z?

repeat: could you repeat that? tekrarlar mısınız? [—*la*r muhsuhn*uh*z]
reputation ün [ewn]
rescue *(verb)* kurtarmak [koortarm*a*k]
reservation rezervasy*o*n
I want to make a reservation for ... ... için bir rezervasyon yapm*a*k istiyorum [... eech*ee*n ... eest*ee*yoroom]
reserve: can I reserve a seat? bir yer ayırtabilir miyim? [... a-yuhrtabeel*ee*r meey*ee*m]
responsible sorumlu [soroom*loo*]
rest: I've come here for a rest buraya dinlenmek için geldim [b*oo*ra-ya deenlenm*e*k eech*ee*n geld*ee*m]
you keep the rest üstü kalsın [ewst*ew* kals*uh*n]
restaurant lok*a*nta
retired emekl*i*
return: a return to ... ...'*e* bir gidiş dönüş bilet [... geed*ee*sh durn*ew*sh beel*e*t]
reverse gear ger*i* vit*e*s
rheumatism romat*i*zma
Rhodes R*o*dos
rib kaburga [kab*oo*rga]
rice pirinç [peer*ee*nch]; *(cooked)* pil*a*v
rich *(person)* zengin [zeng*ee*n]
(food) ağır [a-*uh*r]
ridiculous gülünç [gewl*ew*nch]
right: that's right doğru [doh-r*oo*]
you're right haklısınız [hakl*uh*suhnuhz]
on the right sağda [sa-d*a*]
right now hemen şimdi [hehm*e*n sh*ee*mdee]
right here hemen burada [... b*oo*rada]
righthand drive sağdan direksiyonlu [sa-d*a*n —l*oo*]
ring *(on finger)* yüzük [yewz*ew*k]
I'll ring you siz*i* telef*o*nla ararım [... ar*a*ruhm]
ripe olgun [olg*oo*n]

rip-off: it's a rip-off tam bir kazık [tahm . . . kaz*uh*k]
river neh*i*r
road yol
which is the road to . . .? . . .'*e* gid*e*n yol h*a*ngisi?
roadhog haydut şoför [hıd*oo*t shof*ur*]
rob: I've been robbed soyuldum [soyooldo*o*m]
rock kaya [ka-y*a*]
whisky on the rocks buzlu visk*i* [boozl*oo* . . .]
roll *(bread)* sandviç ekmeği [sandv*ee*ch ekmeh-*ee*]
Roman Catholic Katol*i*k
romantic romant*i*k
roof dam [dahm]
room od*a*
have you got a single/double room? tek/ ik*i* kişilik odanız var mı? [. . . keesheel*ee*k odan*uh*z var muh]
for one night/for three nights bir/üç gece için [beer/ewch gej*eh* eecheen]
YOU MAY THEN HEAR . . .
duşlu? [doosh*loo*] *with shower?*
b*a*nyolu? *with bath?*
m*aa*lesef ot*e*l dol*u* *sorry we're full*
room service od*a* servis*i*
rope hal*a*t
rose gül [gewl]
rough *(person)* kab*a*
(sea) kaba dalgalı [. . .—l*uh*]
roughly *(approximately)* kabaca [—*a*jah]
roulette rulet [rool*e*t]
round *(circular)* yuvarlak [yoovarl*a*k]
roundabout dönel kavşak [durn*e*l kavsh*a*k]
route yol
which is the prettiest/fastest route? en güzel manzaralı/en çabuk yol hangisi? [en gewz*e*l —l*uh*/en chab*oo*k yol h*a*n—]
rowing boat sand*a*l

rubber *(material)* lastik
(eraser) silgi
rubber band lastik bant
rubbish *(garbage)* çöp [churp]
(poor quality goods) uydurma şeyler [ooydoorma shayler]
rubbish! saçma! [sachma]
rucksack sırt çantası [suhrt chantasuh]
rudder dümen [dewmen]
rude terbiyesiz
rug kilim
ruin harabe [harabeh]
rum rom
rum and coke rom ve koka kola
Rumania Romanya
run: hurry, run! çabuk, koş! [chabook kosh]
I've run out of petrol/money benzinim/param bitti
Russia Rusya [roosya]
sad üzgün [ewzgewn]
safe emniyette [emneeyetteh]
will it be safe? emniyette olur mu? [. . . oloor moo]
is it safe to swim here? burada yüzmek emniyetli mi? [boorada yewzmek —lee mee]
safety emniyet
safety pin çengelli iğne [chengellee eeneh]
sağa dönülmez *no right turn*
sahil yolu *shore road*
sail *(noun)* yelken
(verb) yelkenliyle gezmek [yelkenleeleh . . .]
can we go sailing? yelkenliyle gezebilir miyiz?
sailboard yelkenli sörf [—lee surf]
sailboarding: to go sailboarding sörf yapmak [surf yapmak]
sailor denizci [—jee]
salad salata
salami salam

sale: is it for sale? bu satılık mı? [boo satuhl*uh*k muh]
salmon som balığı [. . . baluh-*uh*]
salt tuz [tooz]
same aynı [*I*nuh]
the same again, please bir tane daha, lütfen [. . . t*a*neh dah*a* le*w*tfen]
the same to you size de [seez*eh* deh]
sand kum [koom]
sandal sand*a*l
sandwich sandviç [sandv*ee*ch]
sanitary towel kadın bezi [kad*uh*n bez*ee*]
satisfactory yeterl*i*
Saturday Cumartesi [joom*a*rtesee]
sauce sos
saucepan tencere [t*e*njereh]
saucer fincan tabağı [feenj*a*n taba-*uh*]
sausage sos*i*s
save *(life)* kurtarmak [koortarm*a*k]
say: how do you say . . . in Turkish? Türkçe . . . nasıl denir? [te*w*rkcheh . . . n*a*suhl den*ee*r]
what did he say? ne ded*i*? [neh . . .]
scarf atkı [atk*uh*]
(head) eşarp [esh*a*rp]
scenery manzar*a*
schedule tarife [tareef*eh*]
on/behind schedule vaktinde/gecikmeli [—d*eh*/gejeekmel*ee*]
scheduled flight tarifel*i* sefer
school okul [ok*oo*l]
scissors: a pair of scissors mak*a*s
scooter küçük motosiklet [kewch*ew*k —l*e*t]
Scotland İskoçya [eeskochya]
Scottish İskoç [eesk*o*ch]
scratch *(noun)* çizik [cheez*ee*k]
scream *(verb)* cığlık atm*a*k [chuh-l*uh*k . . .]
screw *(noun)* v*i*da
screwdriver tornav*i*da
sea den*i*z

by the sea deniz kıyısında [. . . kuhyuh-suhnd*a*]
seafood den*i*z ürünleri [. . . ewrewnler*ee*]
seans *performance*
search *(verb)* aram*a*k
search party aram*a* ekib*i*
seasick: I get seasick ben*i* den*i*z tutar [. . . toot*a*r]
I feel seasick beni deniz tutt*u*
seaside deniz kıyısı [den*ee*z kuhyuhs*uh*]
let's go to the seaside h*a*di denize gidelim [. . . deneez*eh* geedel*ee*m]
season mevs*i*m
in the high/low season yüksek sezonda/ sezon dışında [yewks*e*k —d*a*/sez*o*n duhshund*a*]
seasoning bahar*a*t
seat oturacak yer [otooraj*a*k . . .]
is this somebody's seat? bu yer*i*n sahib*i* var mı? [boo . . . muh]
seat belt emniyet kemer*i*
sea-urchin den*i*z kestanes*i*
seaweed yosun [yos*oo*n]
second *(adjective)* ikinci [eek*ee*njee]
(time) saniye [saneey*eh*]
just a second bir saniye
secondhand elden düşme [dewshm*eh*]
see görmek [gurm*e*k]
oh, I see şimdi anladım [sh*ee*mdee —d*uh*m]
have you seen . . .? . . .-*i* gördünüz mü [. . . gurdewn*ew*z mew]
can I see the room? odayı görebil*i*r miyim? [—y*uh* . . .]
seem: it seems so öyle görünüyor [uryl*eh* gur-rewn*ew*yor]
şehiriçi *local mail*
şehirlerarası konuşma *long-distance call*
şehir merkezi *city centre*
seldom n*a*diren
self-service self serv*i*s

sell satm*a*k
send göndermek [gurnderm*e*k]
sensitive hass*a*s
sentimental duygusal [dooygoos*a*l]
separate *(adjective)* ayrı [ır*uh*]
I'm separated eşimden ayrıldım [esheemd*e*n —d*uh*m]
can we pay separately? ayrı ayrı ödeyebilir miyiz? [. . . urdeh-yebeel*ee*r meey*ee*z]
September Eylül [ayl*ew*l]
serious ciddi [jeedd*ee*]
I'm serious ciddiyim [—y*ee*m]
this is serious bu ciddi [boo . . .]
is it serious, doctor? ciddi bir durum mu, doktor? [. . . door*oo*m moo . . .]
sert viraj *sharp bend*
service: the service was excellent/poor serv*i*s mükemmeldi/kötüydü [. . . mewkemm*e*ldee/kurt*ew*ydew]
service station serv*i*s istasyonu [—n*oo*]
serviette peçete [pech*e*teh]
servis dahildir *service charge included*
several birkaç [beerk*a*ch]
sexy cazibeli [jazeebel*ee*]
seyahat çekleri *traveller's cheques*
shade: in the shade gölgede [gurlged*eh*]
shake sallam*a*k
to shake hands el sıkışmak [. . . suh-kuhshm*a*k]
shallow sığ [suh]
shame: what a shame! ne yazık! [neh yaz*uh*k]
shampoo şampuan [shampoo-*a*n]
shandy gazozlu bira [—l*oo* beer*a*]
share *(room, table)* paylaşmak [pılashm*a*k]
shark köpek balığı [kurp*e*k baluh-*uh*]
sharp kesk*i*n
shave tıraş olm*a*k [tuhr*a*sh . . .]
shaver tıraş makines*i*
shaving foam tıraş köpüğü [. . . kurpew-*ew*]

shaving point tıraş makinesi prizi
she o
she is . . . o . . .-dir
she is staying at Hotel . . . . . . Otelinde kalıyor [. . .—deh kaluhyor]
sheep koyun [koyoon]
sheet çarşaf [charshaf]
shelf raf
shell deniz kabuğu [kaboo-oo]
shellfish kabuklu deniz ürünleri [kabookloo . . . ewrewnleree]
shelter sığınak [suh-uhnak]
can we shelter here? buraya sığınabilir miyiz? [boora-ya suh-uhnabeeleer meeyeez]
sherry şeri [sheree]
ship gemi [gemee]
shirt gömlek [gurmlek]
shock şok [shok]
I got an electric shock from the . . . . . .-den elektrik çarptı [. . . charptuh]
shock-absorber amortisör [—sur]
shoe ayakkabı [a-yakkabuh]
» TRAVEL TIP: *shoe sizes*

UK	*4*	*5*	*6*	*7*	*8*	*9*	*10*	*11*
Turkey	*37*	*38*	*39*	*41*	*42*	*43*	*44*	*46*

shop dükkân [dewkkan]
I've some shopping to do biraz alışveriş yapmam lazım [beeraz aluhsh-vereesh . . . lahzuhm]
» TRAVEL TIP: *leather goods and copper and glassware are good buys in Turkey — but check the level of your import allowance*
shore sahil [sa-heel]
short kısa [kuhsa]
I'm three short üç tane eksiğim var [ewch taneh eksee-eem . . .]
short cut kestirme [—meh]
shorts şort [short]
shoulder omuz [omooz]

shout bağırmak [ba-uhrm*a*k]
show: please show me lütfen bana gösterin [l*ew*tfen ban*a* gurst*e*reen]
shower: with shower duşlu [dooshl*oo*]
shrimps kar*i*des
shut: it was shut kapalıydı [—l*uh*yduh]
when do you shut? saat kaçta kapatıyorsunuz? [saht kacht*a* kapat*uh*yorsoonooz]
shut up! sus! [soos]
shy çekingen [chekeeng*e*n]
sıcak su *hot water*
sick hast*a*
I feel sick miğdem bulanıyor [meed*e*m boolanuhyor]
he's been sick kustu [koost*oo*]
side yan
side light siny*a*l lambası [—s*uh*]
side street ken*a*r sok*a*k
by the side of the road yolun kıyısında [yol*oo*n kuhyuh-suhnd*a*]
sigara içenler *smokers*
sigara içilmez *no smoking*
sigara içmeyenler *non-smokers*
sight: it's out of sight görünmüyor [gor*ew*nmewyor]
sightseeing tour tur [toor]
we'd like to go on a sightseeing tour bir tur*a* gitm*e*k ist*i*yoruz
sign *(notice)* işaret [eeshar*e*t]
signal: he didn't signal işaret v*e*rmedi [eeshar*e*t . . .]
signature imz*a*
silence sessizl*i*k
silencer susturucu [soostooroojo*o*]
silk ip*e*k
silly *(person)* sers*e*m
(thing to do) saçma [sachm*a*]
silver gümüş [gewm*ew*sh]

similar benzer
simit *sesame seed bun*
simple bas*i*t
since: since last week geçen haftadan beri [—chen —d*a*n ber*ee*]
since we arrived buraya geldiğimizden beri [b*oo*ra-ya geldee-eemeezd*e*n . . .]
(because) madem ki
sincere içten [eecht*e*n]
yours sincerely en iy*i* dileklerimle
sing şarkı söylemek [shark*uh* surylem*e*k]
single tek
single room tek kişilik bir od*a* [. . . keesheel*ee*k . . .]
I'm single bekârım [bek*a*ruhm]
a single to . . . . . .-e sırf gidiş bir bil*e*t [. . .-*eh* suhrf geed*ee*sh . . .]
sink: it sank battı [batt*uh*]
sir beyefendi [b*a*y—]
sister: my sister kız kardeşim [kuhz kardesh*ee*m]
sit: can I sit here? buraya oturabilir miyim? [b*oo*ra-ya otoorabeel*ee*r meey*ee*m]
size boy
skid kaymak [kɪm*a*k]
skin cilt [jeelt]
skin-diving balık adamlık [bal*uh*k —l*uh*k]
skirt et*e*k
sky gök [gurk]
sleep: I can't sleep uyuyamıyorum [ooyooy*a*-muhyoroom]
YOU MAY HEAR . . .
rah*a*t uyudun*u*z mu? *did you sleep well?*
sleeper *(rail)* yataklı vagon [—l*uh* . . .]
sleeping bag uyku tulumu [ooyk*oo* tooloom*oo*]
sleeping pill uyku ilacı [ooyk*oo* eelaj*uh*]
sleeve yen
slide *(phot)* slayd [slɪd]
slow yavaş [yav*a*sh]

could you speak a little slower? bir*a*z dah*a* az hızlı konuşabilir misiniz? [. . . huhzl*uh* konooshabeel*ee*r meeseen*ee*z]
small küçük [kewch*ew*k]
small change bozuk para [boz*oo*k par*a*]
smell: there's a funny smell gar*i*p bir koku var [. . . kok*oo* . . .]
it smells kötü kokuyor [kurt*ew* kokooy*o*r]
smile *(verb)* gülümseme [gewlewm-sem*eh*]
smoke *(noun)* duman [doom*a*n]
do you smoke? sigar*a* içiyor musunuz? [. . . eecheeyor moosoon*oo*z]
can I smoke? sigara içebilir miyim? [. . . eechebeel*ee*r meey*ee*m]
smooth düzgün [dewzg*ew*n]
snack: can we just have a snack? sadece ufak bir şey yiyebilir miyiz? [s*a*dejeh oof*a*k beer shay yeeyebeel*ee*r meey*ee*z]
snorkel şnorkel [shn*o*rkel]
snow kar
so: it's so hot today bugün korkunç sıcak [boog*ew*n korkoonch suhj*a*k]
not so much o kad*a*r fazl*a* değil [. . . deh-*ee*l]
so-so şöyle böyle [sh*ur*yleh b*ur*yleh]
soap sabun [sab*oo*n]
soap powder sabun tozu [saboon toz*oo*]
sober ayık [a-y*uh*k]
sock çorap [chor*a*p]
soda water mad*e*n sodası [—s*uh*]
soft drink alkolsüz içki [—s*ew*z eechk*ee*]
soğuk su *cold water*
sola dönülmez *no left turn*
sole tab*a*n; *(fish)* dil balığı [. . . baluh-*uh*]
could you put new soles on these? bunlara pençe yap*a*r mısınız? [boonlar*a* pench*eh* . . . muhsuhn*uh*z]
YOU MAY THEN HEAR . . .
kösele mi, last*i*k mi? [kursel*eh* . . .] *leather or rubber?*

some: some people bazıları [bazuhlar*uh*]
can I have some? bir*a*z alabil*i*r miyim? [. . . meey*ee*m]
can I have some grapes/some bread? biraz üzüm/ekm*e*k alabilir miyim? [. . . ewz*ew*m . . .]
can I have some more? biraz dah*a* alabilir miyim?
that's some drink! am*a* ne içki! [. . . neh eechk*ee*]
somebody biris*i*
something bir şey [. . . shay]
sometime bir ar*a*
sometimes baz*e*n
somewhere bir yerde [. . . yerd*eh*]
son: my son oğlum [ohl*oo*m]
song şarkı [shark*uh*]
son kullanma tarihi *use before*
soon yakında [yakuhnd*a*]
as soon as possible mümkün olduğu kad*a*r çabuk [mewmk*ew*n oldoo-*oo* . . . chab*oo*k]
sooner dah*a* çabuk
sore: it's sore acıyor [aj*uh*yor]
sore throat boğaz ağrısı [bo-*a*z a-ruhs*uh*]
sorry: (I'm) sorry özür dilerim [urz*ew*r deel*e*reem]
sort: this sort bu tür [boo tewr]
what sort of . . .? ne tür . . .? [neh . . .]
will you sort it out? siz halledebil*i*r misin*i*z?
soup çorba [chorb*a*]
sour ekşi [eksh*ee*]
south güney [gewn*a*y]
South Africa Güney Afr*i*ka [gewn*ay* . . .]
South African Güney Afrikalı [gewn*ay* . . .—l*uh*]
souvenir hatıra [h*ah*tuhra]
spade kürek [kewr*e*k]
spanner somun anahtarı [som*oo*n —r*uh*]
spare: spare part yed*e*k parça [. . . parch*a*]
spare wheel yedek last*i*k

spark(ing) plug buji [b*oo*jee]
speak: do you speak English? İngilizce biliyor musunuz? [—l*ee*zjeh beeleey*o*r moosoon*oo*z]
  I don't speak Turkish Türkçe b*i*lmiyorum [t*ew*rcheh . . .]
special özel [urz*e*l]
specialist uzman [oozm*a*n]
specially özel olar*a*k [urz*e*l]
spectacles gözlük [gurzl*ew*k]
speed hız [huhz]
  he was speeding fazl*a* sürat yapıyordu [. . . sewr*a*t yap*uh*yordoo]
  speed limit sürat tahdid*i*
speedometer hızölçer [h*uh*zurlcher]
spend *(money)* harcamak [harjam*a*k]
spice bahar*a*t
  is it spicy? baharatlı mı? [—l*uh* muh]
spider örümcek [ur-rewmj*e*k]
spirits *(drink)* içki [eechk*ee*]
spoon kaşık [kash*uh*k]
sprain: I've sprained my . . . . . .-m burkuldu [. . . boorkoold*oo*]
spring *(of car, seat)* yay [yɪ]
  (season) *i*lkbahar
  square *(in town)* meydan [mayd*a*n]
  square metres metre kare [m*e*treh kar*eh*]
stairs merdiv*e*n
stale bayat [ba-y*a*t]
stalls koltuk [kolt*oo*k]
stamp pul [pool]
  two stamps for England İngiltere'ye ik*i* pul [—*yeh* . . .]
standard stand*a*rt
star yıldız [yuhld*uh*z]
starboard sancak [sanj*a*k]
start başlangıç [bashlang*uh*ch]
  my car won't start arabamın motorunu çalıştıramıyorum [—m*uh*n motoroon*oo* chaluhsh-tuhr*a*muhyoroom]

when does it start? ne zam*a*n başlayacak? [neh . . . bashla-yaj*a*k]
starter *(of car)* marş [marsh]
(food) ordövr [ord*ur*vr]
starving: I'm starving çok acıktım [chok ajuhkt*uh*m]
station istasy*o*n
statue heykel [hayk*e*l]
stay: we enjoyed our stay ziyaretimiz çok iyi geçti [—m*ee*z chok eey*ee* gecht*ee*]
stay there orad*a* durun [. . . d*oo*roon]
I'm staying at Hotel . . . . . . Otelinde kalıyorum [. . .—d*eh* kal*uh*yoroom]
steak bift*e*k
» TRAVEL TIP: *it's not very common to eat steak in Turkey; in restaurants not geared to foreigners you may have to settle for some other meat dish, such as 'pirzola' (lamb chops)*
steep dik
steering direksiyon sistem*i*
steering wheel direksiy*o*n
step *(noun)* basam*a*k
stereo st*e*reo
sterling sterl*i*n
stewardess host*e*s
sticking plaster plast*e*r
sticky yapışkan [yapuhshk*a*n]
stiff sert [sehrt]
still: keep still kımıldamayın [kuhmuhl-d*a*ma-yuhn]
I'm still here hâlâ buradayım [h*a*la b*oo*rada-yuhm]
stink *(noun)* pis kokm*a*k
stolen: my wallet's been stolen cüzdanım çalındı [jewzdan*uh*m chaluhnd*uh*]
stomach mide [meed*eh*]
have you got something for an upset stomach? mide bozulmasına karşı bir ilaç var mı? [. . . bozoolmasuhn*a* karsh*uh* eel*a*ch var muh]

stomach-ache: I have stomach-ache midem ağrıyor [meed*e*m a-r*uh*yor]
stone taş [tash]
» *TRAVEL TIP: 1 stone = 6.35 kilos*
stop! dur! [door]
(overnight) geceleme [gejelem*eh*]
do you stop near ...? ... yakınında duruyor musunuz? [yakuhnuhnd*a* door*oo*yor moosoon*ooz*]
stop-over: can we make a stop-over in Ankara? yold*a A*nkara'da kalabil*i*r miy*i*z?
storm fırtına [fuhrtuhn*a*]
straight düz [dewz]
go straight on düz gidin [... g*ee*deen]
straight away hemen şimdi [h*eh*men sh*ee*mdee]
straight whisky sek visk*i*
strange *(odd)* acayip [aja-y*ee*p]
(unknown) yabancı [—*juh*]
stranger yabancı [—j*uh*]
I'm a stranger here buranın yabancısıyım [b*oo*ranuhn —s*uh*yuhm]
strawberry çilek [cheel*e*k]
street sok*a*k
string ip
stroke: he's had a stroke felç geçirdi [felch gecheerd*ee*]
strong güçlü [gewchl*ew*]
(drink) sert
student öğrenci [ur-renj*ee*]
stung: I've been stung ben*i* böcek soktu [... burjek sokt*oo*]
stupid apt*a*l
such: such a lot ne kad*a*r fazl*a* [neh ...]
suddenly *a*niden
sugar şeker [shek*e*r]
sugared almonds bad*e*m şekeri [... shekere*e*]
suit *(man's)* kostüm [kost*ew*m]
(woman's) tayör [ta-y*ur*]
suitable uygun [ooyg*oo*n]

suitcase bavul [bav*oo*l]
summer yaz
sun güneş [gewn*e*sh]
  in the sun güneşte [—t*eh*]
  out of the sun gölgede [gurlged*eh*]
  sunbathe güneş banyosu yapm*a*k [. . . b*a*nyosoo . . .]
  sun block güneş merhem*i*
  sunburn güneş yanığı [. . . yanuh-*uh*]
  sunglasses güneş gözlüğü [. . . gurzlew-*ew*]
  sunstroke güneş çarpması [. . . charpmas*uh*]
  suntan oil güneş yağı [. . . ya-*uh*]
Sunday Paz*a*r
supermarket süpermarket [sewpermark*e*t]
supper akşam yemeği [aksh*a*m yemeh-*ee*]
sure: I'm not sure emin değilim [em*ee*n deh-*ee*leem]
  are you sure? emin misin*i*z?
  sure! tabii! [t*a*bee]
surfboard sörf tahtası [surf —s*uh*]
surname soy*a*d
swearword küfür [kewf*ew*r]
sweat *(verb)* terlem*e*k
  (noun) ter
sweet: it's too sweet fazl*a* tatlı [. . . —l*uh*]
  (dessert) tatlı
sweets şeker [shek*e*r]
swerve: I had to swerve direksiyonu hızla kırmak zorunda kaldım [—n*oo* h*uh*zla kuhrm*a*k zoroond*a* kald*uh*m]
swim: I'm going for a swim yüzmeye gidiyorum [yewzmay*eh* geed*ee*yoroom]
  let's go for a swim yüzmeye gidelim [. . . geedel*ee*m]
swimming costume mayo [m*a*-yo]
switch elektrik düğmesi [—r*ee*k dewmes*ee*]
  to switch on/off açmak/kapamak [achm*a*k/ —m*a*k]
Syria Suriye [s*oo*ryeh]

table mas*a*
  a table for four dört kişilik bir masa [durt keeshee*lee*k . . .]
take alm*a*k
  can I take this (with me)? bunu alabilir miyim? [boon*oo* alabee*lee*r meeyeem]
  will you take me to the airport? ben*i* hav*a* limanına götürür müsünüz? [. . . leemanuhn*a* gurtew-r*ew*r mewsewn*ew*z]
  how long will it take? ne kadar sürer? [neh kad*a*r sewr*e*r]
  somebody has taken my bags birisi bavullarımı almış [—*see* bavool-laruhm*uh* alm*uh*sh]
  can I take you out tonight? bu gece benimle çıkar mısınız? [boo gej*eh* ben*ee*mleh chuhk*a*r muhsuhn*uh*z]
talcum powder talk pudrası [tahlk poodras*uh*]
talk *(verb)* konuşmak [konooshm*a*k]
tall *(person)* uzun boylu [oozoon boyl*oo*]
  (building) yüksek [yewks*e*k]
tam pansiyon *full board*
tampons tampon
tan *(noun)* bronz ten
  I want to get a tan bronzlaşmak istiyorum [—lashm*a*k eest*ee*yoroom]
tank *(of car)* depo
tap musluk [moosl*oo*k]
tape *(for cassette)* teyp [tayp]
  (sticky) selloteyp
tape-recorder teyp [tayp]
tariff tarife [—*feh*]
taste *(noun)* tat [taht]
  can I taste it? tadına bakabilir miyim? [taduhn*a* bakabee*lee*r meeyeem]
  it tastes horrible/it tastes very nice iğrenç bir tadı var/tadı çok güzel [eerench beer tad*uh* var/. . . chok gewz*e*l]
taxi t*a*ksi

will you get me a taxi? ban*a* bir taksi bulur musunuz? [. . . bool*oo*r moosoon*oo*z]
where can I get a taxi? nerede bir taksi bulabilirim? [n*e*redeh . . .]
» *TRAVEL TIP: in big cities there are also shared taxis called 'dolmuş' [dolmoosh]; they operate like buses with a fixed route and fixed fare*
taxi-driver taksi şoförü [. . . shofur*ew*]
TC Türkiye Cumhuriyeti *Republic of Turkey*
TCDD Türkiye Cumhuriyeti Devlet Demiryolları *Turkish State Railways*
tea çay [chı]
could I have a cup of tea/pot of tea? bir fincan/bir demlik çay lütfen [. . . feenj*a*n . . . l*ew*tfen]
with milk/lemon sütlü/limonlu [sewtl*ew*/ —loo]
» *TRAVEL TIP: Turkish tea is much stronger and is served in small glasses; if you want a weaker tea ask for 'açık çay' [achuhk chı]*
teach: could you teach me? ban*a* öğretir misiniz? [. . . ur-ret*ee*r meeseen*ee*z]
could you teach me Turkish? bana Türkçe öğretir misiniz? [. . . t*ew*rkcheh . . .]
teacher öğretmen [ur-retm*e*n]
telegram telgr*a*f
I want to send a telegram bir telgraf çekmek istiyorum [. . . chekm*e*k eest*ee*yoroom]
telephone *(noun)* telefon
can I make a phone-call? bir telefon edebil*i*r miy*i*m?
can I speak to Maria? Maria'yl*a* konuşabilir miyim? [. . . konooshabeel*ee*r . . .]
could you get the number for me? ban*a* numarayı bulabilir misiniz? [. . . noomara-*yuh* boolabeel*ee*r meeseen*ee*z]
telephone directory telefon rehberi
» *TRAVEL TIP: most of Turkey is on International Direct Dialling; code for UK is 9944 dropping the*

first 0 of the UK area code; the cheapest calls can be made from phone boxes — these require telephone tokens which can be obtained from post offices or anywhere you see the sign 'jeton'; you will need about 6 big tokens (6 büyük jeton) for the average international call

television televizyon
I'd like to watch television televizyon seyretmek ist*i*yorum [... sayretm*e*k ...]
tell: could you tell me where ...? ban*a* nerede ... söyleyebilir misiniz? [... n*e*redeh surylay-ebeel*ee*r meeseen*ee*z]
temperature *(weather etc)* sıcaklık [suhjakl*uh*k]
he's got a temperature ateşi var [atesh*ee* ...]
temple tapınak [tapuhn*a*k]
tennis ten*i*s
tennis ball tenis topu [... top*oo*]
tennis court tenis kortu [...—t*oo*]
tennis racket tenis raket*i*
tent çadır [chad*uh*r]
terminus son istasy*o*n
terrible berbat [—b*ah*t]
terrific müthiş [mewt-h*ee*sh]
than ...-d*e*n
bigger/older than ... ...-den daha büyük/yaşlı [... dah*a* bewy*ew*k/yashl*uh*]
thanks, thank you teşekkür ederim [teshekk*ew*r ed*e*reem]
no thank you hayır, teşekkür ederim [h*a*-yuhr ...]
thank you very much çok teşekkür ederim [chok ...]
thank you for your help yardımınız için teşekkür ederim [yarduhmuhn*uh*z eech*ee*n ...]
YOU MAY THEN HEAR ...
bir şey değil [bee shay deh-*ee*l] *you're welcome*
that o
that man/that table o ad*a*m/mas*a*

I would like that one onu rica edeyim [on*oo* reej*a* edeh-y*ee*m]
how do you say that? o nasıl denir? [o n*a*suhl den*ee*r]
I think that ... düşünüyorum ki ... [dewshew-n*ew*yoroom ...]
the *no equivalent in Turkish*
theatre tiy*a*tro
their ... -leri; *(emphatic)* onların [—r*uh*n]
their hotel (onların) oteleri [...—ler*ee*]
it's theirs bu onlarınk*i*
them: I've lost them onları kaybettim [—r*uh* k*I*—]
with them onl*a*rla
who? — them kim? — onl*a*r
then *(at that time)* o zam*a*n
(after that) ond*a*n sonra
there orası [*o*rasuh]
how do I get there? oraya nasıl gidebilirim? [*o*ra-ya n*a*suhl geedebeel*ee*reem]
is there/are there ...? ... var mı? [... muh]
there is/there are ... ... var
there you are *(giving something)* buyrun [b*oo*yroon]
these bunlar [boonl*a*r]
these apples/people bu elmal*a*r/insanl*a*r
can I take these? bunları alabilir miyim? [—r*uh* alabeel*ee*r meey*ee*m]
they onl*a*r
they are ... onlar ...
thick kalın [kal*uh*n]; *(stupid)* m*a*nkafa
thief hırsız [huhrs*uh*z]
thigh but [boot]
thin ince [eenj*eh*]
thing şey [shay]
I've lost all my things herşeyimi kaybettim [h*eh*r— k*I*—]
think düşünmek [dewshewnm*e*k]
I'll think it over düşüneceğim [—ej*eh*-eem]

I think so/I don't think so bence öyle/bence öyle değil [benjeh ury*leh* . . . deh-*ee*l]
third *(adjective)* üçüncü [ewch*ew*njew]
thirsty susamış [—m*uh*sh]
I'm thirsty susadım [—d*uh*m]
this bu [boo]
this hotel/this street bu ot*e*l/bu sok*a*k
can I have this one? bunu rica edebilir miyim? [boon*oo* reej*a* edebeel*ee*r meeyeem]
this is my wife bu eşim [. . . esh*ee*m]
is this . . .? bu . . . mi?
those onl*a*r
those . . . o . . .
no, not these, those! bunl*a*r değil, onlar [. . . deh-*ee*l . . .]
thread *(noun)* ipl*i*k
throat boğaz [boh-*a*z]
throttle *(motorbike, boat)* gaz [gahz]
through içinden [eecheend*e*n]
through Ankara *A*nkara'nın içinden
throw *(verb)* atm*a*k
thumb başparmak [b*a*sh—]
thunder *(noun)* gök gürültüsü [gurk gewrewl-tews*ew*]
thunderstorm gök gürültülü fırtına [gurk —l*ew* fuhrtuhn*a*]
Thursday Perşembe [pershembeh]
THY Türk Hava Yolları *Turkish Airlines*
ticket bil*e*t
tie *(necktie)* krav*a*t
tight *(clothes)* dar
tights külotlu çorap [kewlotl*oo* chor*a*p]
time zam*a*n
what's the time? saat kaç? [saht kach]
I haven't got time vaktim yok [vakt*ee*m . . .]
for the time being şimdilik [sh*ee*m—]
this time/last time/next time bu sefer/geçen sefer/gelecek sefer [boo sef*e*r/gech*e*n . . ./gelej*e*k . . .]

3 times 3 defa
have a good time iyi eğlenceler [... eh-lenjeler]
» TRAVEL TIP: *how to tell the time*
it's one o'clock saat bir [saht ...]
it's two/three/four/five/six o'clock saat iki/üç/dört/beş/altı [... ewch/durt/besh/altuh]
it's 5/10/20/25 past seven yediyi 5/10/20/25 geçiyor [... gecheeyor]
it's quarter past eight/eight fifteen sekizi çeyrek geçiyor/sekiz on beş [... chayrek gecheeyor/sekeez on besh]
it's half past nine/nine thirty dokuz buçuk/dokuz otuz [dokooz boochook/... otooz]
it's 25/20/10/5 to ten ona 25/20/10/5 var
it's quarter to eleven/10.45 on bire çeyrek var/on kırk beş [on beereh chayrek .../on kuhrk besh]
at twelve o'clock (saat) on ikide [...—deh]
timetable tarife [—feh]
tin *(can)* konserve kutusu [—serveh kootoosoo]
tin-opener konserve açacağı [... achaja-uh]
tip *(noun)* bahşiş [baH-sheesh]
is the tip included? bahşiş dahil mi? [... daheel mee]
» TRAVEL TIP: *service seldom included; tip an average of 10% in restaurants; there is no need to tip taxi-drivers, but do tip cinema usherettes*
tired yorgun [yorgoon]
I'm tired yorgunum [—noom]
tissues kâğıt mendil [ka-uht ...]
to: to Antalya/England Antalya'ya/İngiltere'ye
toast kızarmış ekmek [kuhzarmuhsh ...]
tobacco tütün [tewtewn]
tobacconist's tütüncü [—jew]
today bugün [boogewn]
toe ayak parmağı [a-yak ... parma-uh]
together beraber
we're together berbaberiz

can we pay all together? hesabı beraber ödeyebilir miyiz? [—b*uh* . . . urdeh-yebeel*ee*r meey*ee*z]
toilet tuvalet [toovalet]
where are the toilets? tuvaletler nerede? [. . . neredeh]
I have to go to the toilet tuvalete gitmem lazım [—l*eh* . . . lahz*uh*m]
there's no toilet paper tuvalet kâğıdı yok [. . . k*a*-uhduh . . .]
» TRAVEL TIP: *especially in the country you may find squat toilets which are just a hole at ground level with two places for your feet on either side*
tomato dom*a*tes
tomato juice dom*a*tes suyu [. . . sooy*oo*]
tomato ketchup ketçap [—ch*ah*p]
tomorrow yarın [yar*uh*n]
tomorrow morning/tomorrow afternoon/ tomorrow evening yarın sabah/yarın öğleden sonra/yarın akşam [. . . sab*a*H/. . . urleden sonra/ . . . aksh*a*m]
the day after tomorrow öbür gün [urb*ew*r gewn]
see you tomorrow yarın görüşürüz [. . . gurewshewr*ew*z]
ton İngiliz tonu [*ee*ngeeleez ton*oo*]
» TRAVEL TIP: *1 ton = 1016 kilos*
tongue dil
tonic (water) ton*i*k
tonight bu gece [boo gej*eh*]
tonne ton
» TRAVEL TIP: *1 tonne = 1000 kilos = metric ton*
tonsilitis bademcik iltihabı [—jeek —b*uh*]
too fazl*a*
that's too much o çok fazla [o chok . . .]
tool al*e*t
tooth diş [deesh]
I've got toothache dişim ağrıyor [dee-sh*ee*m a-ruhyor]

toothbrush diş fırçası [deesh fuhrchas*uh*]
toothpaste diş macunu [deesh mahjoon*oo*]
top: on top of . . . . . .-*i*n üstünde [. . . ewstewnd*eh*]
on the top floor en üst katt*a* [. . . ewst . . .]
at the top üstte [—*teh*]
total *(noun)* topl*a*m
tough *(meat)* sert [sehrt]
tour *(noun)* tur [toor]
we'd like to go on a tour of the island adayı gezmek istiyoruz [ada-y*uh* gezm*e*k eest*ee*yorooz]
we're touring around geziyoruz [gez*ee*yorooz]
tourist turist [toor*ee*st]
I'm a tourist ben bir turistim [. . .—t*ee*m]
tourist office turist bürosu [. . . bewros*oo*]
tow *(verb)* yedekte çekmek [—t*eh* chekm*e*k]
can you give me a tow? arabamı yedekte çeker misin*i*z? [—m*uh* . . .]
towrope yed*e*k çekme halatı [. . . chekm*eh* —t*uh*]
towards . . .-e doğru [. . . dohr*oo*]
he was coming straight towards me tam üstüme doğru geliyordu [tahm ewstewm*eh* . . . gel*ee*yordoo]
towel havlu [havl*oo*]
town kasab*a*
in town şehirde [sheheerd*eh*]
would you take me into the town? ben*i* şehire götürebilir misiniz? [. . . gurtew-rebeel*ee*r meeseen*ee*z]
traditional gelenek*se*l
a traditional Turkish meal geleneksel bir Türk yemeği [. . . tewrk yemeh-*ee*]
traffic traf*i*k
traffic lights traf*i*k ışıkları [. . . uhshuhk-lar*uh*]
train tren

» *TRAVEL TIP: some steam engines still in use as well as modern trains*

tranquillizers yatıştırıcı ilaç [yatuhsh-tuhruhj*uh* eel*a*ch]
translate tercüme etmek [terjewm*eh* . . .]
would you translate that for me? bunu tercüme edebilir misiniz? [boon*oo* . . . edebeel*ee*r meeseen*ee*z]
transmission *(of car)* transmisyon
travel agent's seyahat acentesi [seh-yah*a*t ajentes*ee*]
traveller's cheque seyahat çeki [seh-yah*a*t chek*ee*]
tree ağaç [a-*a*ch]
tremendous muazzam [moo-azz*a*m]
trim: just a trim, please lütfen yalnız uçlarından biraz alın [l*ew*tfen yaln*uh*z oochlaruhnd*a*n . . . *a*luhn]
trip *(noun)* yolculuk [yoljool*oo*k]
we want to go on a trip to . . . . . .'e bir gezi yapm*a*k istiyoruz [. . . gez*ee* . . . eest*ee*yorooz]
trouble *(noun)* dert
I'm having trouble with the steering/my back direksiyon sistemi/sırtım ile başım dertte [—mee/suhrt*uh*m eel*eh* bash*uh*m dert*teh*]
trousers pantalon
trout alabalık [alabal*uh*k]
true gerçek [gerch*e*k]
it's not true bu doğru değil [boo doh-r*oo* deh-*ee*l]
trunks *(swimming)* mayo [m*a*-yo]
try *(verb)* denemek
please try lütfen deneyin [l*ew*tfen den*eh*-yeen]
can I try it on? üstümde deneyebilir miyim [ewstewmd*eh* —beeleer meey*ee*m]
T-shirt ti şört [tee shurt]
Tuesday Salı [sal*uh*]
Turk Türk [tewrk]
Turkey Türkiye [t*ew*rkeeyeh]
Turkish *(adjective)* Türk [tewrk]
(language) Türkçe [tewrkch*eh*]

Turkish baths ham*a*m
Turkish coffee Türk kahvesi [tewrk kahv*eh*see]
Turkish delight lokum [lok*oo*m]
turn: where do we turn off? n*e*reden sapacağız? [. . . sapaj*a*-uhz]
he turned without indicating siny*a*l v*e*rmeden saptı [—t*uh*]
twice ik*i* kere [. . . ker*eh*]
twice as much iki misl*i*
twin beds ik*i* tane tek kişilik yat*a*k [. . . t*a*neh . . . keesheel*ee*k]
typewriter yazı makinesi [yaz*uh* —s*ee*]
typical tip*i*k
tyre last*i*k
I need a new tyre ban*a* yen*i* bir lastik lazım [. . . lahz*uh*m]
» *TRAVEL TIP: tyre pressures*

lb/sq in	*18*	*20*	*22*	*26*	*28*	*30*
kg/sq cm	*1.3*	*1.4*	*1.5*	*1.7*	*2*	*2.1*

ugly çirkin [cheerk*ee*n]
ulcer ülser [ewls*e*r]
Ulster Kuzey İrlanda [kooz*a*y eerl*a*nda]
umbrella şemsiye [shemseey*eh*]
umumi hela *public convenience*
uncle: my uncle *(paternal)* amcam [amj*a*m] *(maternal)* dayım [da-y*uh*m]
uncomfortable rahatsız [—s*uh*z]
unconscious baygın [bɪg*uh*n]
under altında [altuhnd*a*]
underdone az pişmiş [. . . peeshm*ee*sh]
underground *(rail)* metro
» *TRAVEL TIP: there's an underground funicular in Istanbul called the Tünel*
understand: I understand anlıyorum [anl*uh*yoroom]
I don't understand anlamıyorum [anl*a*muh—]
do you understand? anlıyor musunuz? [—yor moosoon*oo*z]
undo çözmek [churzm*e*k]

unfriendly soğuk [so-*oo*k]
unhappy mutsuz [mootso*o*z]
United States Amer*i*ka
unlock açmak [achm*a*k]
until . . . . . .-e kad*a*r
until next year gelecek yıla kadar [—j*e*k yuhl*a* . . .]
unusual alışılmamış [aluhsh*uh*l-mamuhsh]
up yukarı [yookar*uh*]
he's not up yet dah*a* kalkmadı [. . . k*a*lkmaduh]
what's up? ne oldu? [neh old*oo*]
upside-down baş aşağı [bash asha-*uh*]
upstairs üst katt*a* [ewst . . .]
urgent acil [aj*ee*l]
us biz
use: can I use . . .? . . .-i kullanabilir miyim? [. . . koollanabeel*ee*r meey*ee*m]
useful yararlı [—l*uh*]
usual olağan [ola-*a*n]
as usual her zamank*i* gib*i*
usually genellikle [—eekl*eh*]
U-turn U dönüşü [oo durnewsh*ew*]
vacancy: do you have any vacancies? boş odanız var mı? [bosh odan*uh*z var muh]
vacate *(room)* boşaltmak [boshaltm*a*k]
vaccination aşılama [ashuhlam*a*]
vacuum flask term*o*s
valid gerçerli [gecherl*ee*]
how long is it valid for? ne zaman*a* kad*a*r geçerli? [neh . . .]
valuable değerli [deh-erl*ee*]
will you look after my valuables? değerli eşyalarıma bakabil*i*r misin*i*z? [. . . eshyalaruhm*a* . . .]
value değer [deh-*e*r]
valve supap [soop*a*p]
van kapalı kamyon [—l*uh* . . .]
vanilla van*i*lya

varicose veins var*i*s
varış *arrival*
veal dan*a* et*i*
vegetables sebze [seb*zeh*]
vegetarian etyeme*z*
ventilator vantilatör [—t*ur*]
very çok [chok]
very much çok
via üzerinden [ewzereend*e*n]
village köy [kuh-ee]
vine asm*a*
vinegar sirke [seerk*eh*]
vineyard bağ [ba]
vintage *(adjective)* yıllanmış [yuhl-lanm*uh*sh]
violent saldırgan [salduhrg*a*n]
visibility görüş uzaklığı [gur*ew*sh oozakluh-*uh*]
visit *(verb)* ziyaret etmek
vodka votka
voice ses
voltage voltaj [volt*a*J]
» TRAVEL TIP: *220 in most of Turkey*
waist bel
» TRAVEL TIP: *waist measurements*

UK	*24*	*26*	*28*	*30*	*32*	*34*	*36*	*38*
Turkey	*61*	*66*	*71*	*76*	*80*	*87*	*91*	*97*

wait: will we have to wait long? çok beklememiz gerekecek mi? [chok . . . gerekejek mee]
wait for me beni bekleyin [ben*ee* bekleh-yeen]
I'm waiting for a friend/my wife bir arkadaşımı bekliyorum/eşimi bekliyorum [. . .—shuhm*uh* bekl*ee*yoroom/esheem*ee* . . .]
waiter garson
waiter! bak*a*r mısınız? [. . . muhsuhn*uh*z]
waitress garson kız [. . . kuhz]
waitress! bak*a*r mısınız!
wake: will you wake me up at 7.30? ben*i* 7.30'da uyandırır mısınız? [. . . ooyanduhr*uh*r muhsuhn*uh*z]

Wales Galler Ülkesi [—l*e*r ewlkes*ee*]
walk: can we walk there? oraya yayan gidilebil*i*r mi? [*o*ra-ya ya-y*a*n . . .]
are there any good walks around here? bu civarda yürüyüş yapmak için iyi yerler var mı? [boo jeevard*a* yewrewy*ew*sh . . . eech*ee*n . . . muh]
walking shoes yürüyüs ayakkabıları [yewrewy*ew*sh a-yakkabuhlar*uh*]
walking stick bast*o*n
wall duvar [doov*a*r]
wallet cüzdan [jewzd*a*n]
want: I want a . . . bir . . . ist*i*yorum
I want to talk to the consul konsolosla konuşmak istiyorum [—l*o*sla konooshm*a*k . . .]
what do you want? ne istiyorsunuz? [neh eesteeyorsoon*oo*z]
I don't want to ist*e*miyorum
he wants to . . . . . . ist*i*yor
warm sıcak [suhj*a*k]
warning uyarı [ooyar*uh*]
wash: can you wash these for me? bunları benim için yıkayabilir misiniz? [boonlar*uh* ben*ee*m eech*ee*n yuhka-yabeel*ee*r meeseen*ee*z]
where can I wash? nerede elimi yüzümü yıkayabilirim? [n*e*redeh eleem*ee* yewzewm*ew* yuhka-yabeel*ee*reem]
washing powder deterjan [—J*a*n]
washer *(for nut)* r*o*ndela
wasp yabanarısı [yab*a*naruhsuh]
watch *(wrist-)* saat [saht]
will you watch my bags for me? bavullarıma göz kulak olur musunuz? [bavoollaruhm*a* gurz kool*a*k ol*oo*r moosoon*oo*z]
watch out! dikk*a*t!
water su [soo]
can I have some water? bir*a*z su ver*i*r misin*i*z?

hot and cold running water musluktan gelme sıcak ve soğuk su [mooslooktan gelmeh suhjak veh sohook . . .]

» *TRAVEL TIP: tap water is safe to drink in most parts of Turkey but tends to be heavily chlorinated; follow the example of the locals, most of whom nowadays drink only bottled water*

water-pipe *(to smoke)* nargile [nargeeleh]

waterproof su geçirmez [soo gecheermez]

waterskiing su kayağı [so ka-ya-uh]

way: could you tell me the way to . . .? . . .-e nereden gidilir?

see **where** *for answers*

no way! katiyen olmaz! [katyen . . .]

we biz

we are biz . . .-iz

weak *(person)* zayıf [za-yuhf]

(drink) hafif

weather hava

what filthy weather! ne berbat hava! [neh . . .]

what's the weather forecast? bugün için hava raporu nedir? [boogewn eecheen . . . raporoo . . .]

YOU MAY THEN HEAR . . .

yağmur yağacakmış [ya-moor ya-ajakmuhsh] *it's supposed to rain*

hava güzel olacakmış [. . . gewzel olajakmuhsh] *it's supposed to be fine*

Wednesday Çarşamba [charshamba]

week hafta

a week today/tomorrow haftaya bugün/yarın [—ya boogewn/yaruhn]

at the weekend hafta sonunda [. . . sonoonda]

weight ağırlık [a-uhrluhk]

welcome: you're welcome bir şey değil [beer shay deh-eel]

well: I'm not feeling well kendimi iyi hissetmiyorum

how are you? — very well, thanks nasılsınız — çok iyiyim, tekşekkür ederim [*na*suhlsuhnuhz chok . . . teshekk*ew*r edereem]
you speak English very well çok iyi İngilizce konuşuyorsunuz [chok eey*ee* eengeel*ee*zjeh konooshooyorsoon*oo*z]
Welsh Gall*i*
west batı [bat*uh*]
West Indies Batı Hint Adaları [bat*uh* . . .—r*uh*]
wet ıslak [uhsl*a*k]
wet suit last*i*k dalgıç elbisesi [. . . dalg*uh*ch —s*ee*]
what: what is that? o ned*i*r?
what for? niçin? [n*ee*cheen]
what? ne? [neh]
wheel tekerl*e*k
when? zam*a*n?
when is breakfast? kahvaltı ne zaman? [—t*uh* neh . . .]
when we arrived buraya geldiğimizde [b*oo*raya geldee-eemeezd*eh*]
where? nerede? [n*e*redeh]
where is the post office? postane nerede? [—*a*neh . . .]
YOU MAY THEN HEAR . . .
düz gidin [dewz geed*ee*n] *straight on*
sağa sapın [sa-*a* sap*uh*n] *turn right*
sol*a* sapın *turn left*
öteki yönde [urtek*ee* yurnd*eh*] *it's in the other direction*
which (one)? h*a*ngi?
whisky visk*i*
white beyaz [beh-y*a*z]
who kim
whose? kim*i*n?
whose is this? bu kimin? [boo . . .]
why? niçin? [n*ee*cheen]
why not? niçin?
ok, why not? tam*a*m, ned*e*n olmasın? [. . . *o*lmasuhn]

wide geniş [gen*ee*sh]
wife: my wife karım [kar*uh*m]
will: when will it be finished? ne zam*a*n hazır olacak? [neh . . . haz*uh*r olaj*a*k]
will you do it? bunu siz yap*a*r mısınız? [boon*oo* . . . muhsuhn*uhz*]
I will come back ger*i* döneceğim [. . . durnej*eh*-eem]
wind *(noun)* rüzgâr [rewzg*a*r]
window pencere [p*e*njereh]
near the window pencerenin yakınında [—n*ee*n yakuhnuhnd*a*]
windscreen araba ön camı [arab*a* urn jam*uh*]
windscreen wipers silecekler [seelejekl*e*r]
windy rüzgârlı [rewzgarl*uh*]
wine şarap [shar*a*p]
can I see the wine list? şarap listesini görebilir miyim? [. . .—n*ee* gur-ebeel*ee*r meey*ee*m]
» *TRAVEL TIP: wine is plentiful and cheap in Turkey (although somewhat limited in range); Villa Doluca [dolooja] is by far the best of the dry reds; Doluca and Buzbağ [boozba], and Kulüp [koolewp] and Yakut are full-bodied; for dry whites try Doluca, Kulüp and Kavak*
winter kış [kuhsh]
wire tel
(electric) k*a*blo
wish: best wishes en iy*i* dileklerimle [. . .—eeml*eh*]
with ile [eel*eh*]
with me benimle [ben*ee*mleh]
without . . .-siz
without sugar şekersiz [shekers*ee*z]
witness tanık [tan*uh*k]
will you act as a witness for me? ben*i*m için tanıklık ed*e*r misin*i*z? [. . . eech*ee*n tanuhkl*uh*k . . .]
woman kadın [kad*uh*n]

women kadınl*a*r
wonderful harikulade [hahreekool*a*deh]
won't: it won't start çalışmıyor [chal*uh*sh-muhyor]
wood taht*a*
wool yün [yewn]
word kelime [—m*eh*]
I don't know that word o kelimey*i* b*i*lmiyorum
work *(verb)* çalışmak [chaluhshm*a*k]
(noun) iş [eesh]
it's not working çalışmıyor [chal*uh*sh-muhyor]
I work in London L*o*ndra'da çalışıyorum [. . .—sh*u*yoroom]
worry endişe etm*e*k [endeesh*eh* . . .]
I'm worried about him onun için endişeliyim [on*oo*n eech*ee*n —l*ee*yeem]
don't worry mer*a*k etmeyin [. . . *e*tmehyeen]
worry beads tespih [tesp*ee*H]
worse: it's worse dah*a* kötü [. . . kurt*ew*]
he's getting worse kötüleşiyor [kurtewlesheeyor]
worst en kötü [. . . kurt*ew*]
worth: it's not worth that much o kad*a*r etmez
is it worthwhile going? gitmeye değer mi? [—y*eh* deh-*eh*r mee]
wrap: could you wrap it up? pak*e*t yap*a*r mısınız? [. . . muhsuhn*uh*z]
wrench İngiliz anahtarı [. . .—r*uh*]
wrist bil*e*k
write yazm*a*k
could you write it down? yaz*a*r mısınız? [. . . muhsuhn*uh*z]
I'll write to you size mektup yazarım [seez*eh* mekt*oo*p yaz*a*ruhm]
writing paper yazı kâğıdı [yaz*uh* k*a*-uhduh]
wrong yanlış [—l*uh*sh]

I think the bill's wrong hesap yanlış, sanıyorum [hehs*a*p . . . san*uh*yoroom]
there's something wrong with . . . . . .-de bir sorun var [. . . sor*oo*n . . .]
you're wrong yanlışınız var [—luhshuhn*uh*z . . .]
sorry, wrong number aff*e*dersiniz, yanlış num*a*ra

X-ray röntgen [r*ur*ntgen]
yacht yat
yangın çıkışı *fire exit*
yard yard*a*
» *TRAVEL TIP: 1 yard = 91.44 cms = 0.91 m*
yarım pansiyon *half board*
yasak *forbidden*
yavaş git *slow*
year yıl [yuhl]
this year/next year bu yıl/gelecek yıl [boo . . . gelej*e*k . . .]
yellow sarı [sar*uh*]
yes *e*vet
yesterday dün [dewn]
the day before yesterday evvels*i* gün
yesterday morning/afternoon dün sabah/ dün öğleden sonra [. . . urled*e*n s*o*nra]
yet: isn't it ready yet? dah*a* hazır değil mi? [. . . haz*uh*r deh-*ee*l mee]
not yet daha değil
yoghurt yoğurt [yo-*oo*rt]
yoghurt drink ayran [I*ra*n]
yok *no; there isn't any*
yol ver *give way*
you siz
(familiar singular) sen
I like you sizden hoşlanıyorum [. . . hoshlan*uh*yoroom]
with you sizinle [seez*ee*nleh]
» *TRAVEL TIP: use 'sen' only with close friends*
young genç [gench]

your . . .-iniz, . . .-niz; *(emphatic)* sizin
(familiar singular) . . .-in, . . .-n; *(emphatic)* senin
is this your camera? bu (sizin) fotoğraf makineniz mi? [boo . . . fotohr*a*f —n*ee*z mee]
is this yours? bu sizin mi?
youth hostel gençlik hosteli [genchl*ee*k —l*ee*]
Yugoslavia Yugosl*a*vya
zero sıfır [suhf*uh*r]
below zero sıfırın altında [—r*uh*n altuhnd*a*]
zip fermuar [—moo-*a*r]

The Turkish Alphabet

letters in brackets don't actually exist in the Turkish alphabet but are useful for spelling English names etc

a ah
b beh
c jeh
ç cheh
d deh
e eh
f feh
g geh
ğ yoomoosh*a*k geh
h ha
ı uh
i ee
j Jeh
k ka
l leh
m meh
n neh
o o
ö ur
p peh
(q) kew
r reh
s seh
ş sheh
t teh
u oo
ü ew
v veh
(w) d*oo*buhl veh
(x) eeks
y yeh
z zeh

Numbers

0 sıfır [suh*fuh*r]
1 bir [beer]
2 iki [eek*ee*]
3 üç [ewch]
4 dört [durt]
5 beş [besh]
6 altı [al*tuh*]
7 yedi [yed*ee*]
8 sekiz [sek*ee*z]
9 dokuz [dok*oo*z]
10 on
11 on bir
12 on iki
13 on üç
14 on dört
15 on beş
16 on altı
17 on yedi
18 on sekiz
19 on dokuz
20 yirmi [yeerm*ee*]
21 yirmi bir
22 yirmi iki
30 otuz [ot*oo*z]
40 kırk [kuhrk]
50 elli [ell*ee*]
60 altmış [altm*uh*sh]
70 yetmiş [yetm*ee*sh]
80 seks*e*n
90 doks*a*n
100 yüz [yewz]
101 yüz bir
200 iki yüz
300 üç yüz
1,000 bin [been]
2,000 iki bin
2,550 iki bin beş yüz elli
1,000,000 bir milyon [beer meel-y*o*n]